Feun en het wolvenmeisje

Paul Kustermans

Feun en het wolvenmeisje

Manteau

Je kunt dit verhaal perfect afzonderlijk lezen, maar als je vooraf *Feun en de vloek van de sjamaan* en *Feun en de geest van de rode dood* hebt gelezen, zal een aantal dingen je wel duidelijker zijn. Je zult dezelfde personages aantreffen en verwijzingen naar vroegere gebeurtenissen zul je beter begrijpen.

Paul Kustermans

© 2007 Uitgeverij Manteau / Standaard Uitgeverij en Paul Kustermans
Standaard Uitgeverij nv, Mechelsesteenweg 203, B-2018 Antwerpen
www.manteau.be
info@manteau.be

Omslagontwerp: Herman Houbrechts
Vormgeving binnenwerk: 508 Grafische Produkties bv, Landgraaf
Foto achterplat: Koen Broos

ISBN 978 90 223 2234 5
D/2007/0034/377
NUR 285

1

Een van de vrouwen die bij de rivier water wilden halen en geeuwend de slaap uit haar ogen wreef, vond het lichaam en schreeuwde het kamp bij elkaar. Feun was er als een van de eersten bij. Ook zonder naar zijn hartslag te tasten, wist ze dat Mung dood was. Hij lag in de eerste lichtplas van de dag en er zat een vreemde knik in zijn nek. Zijn gebroken ogen staarden haar verwijtend aan en ze sloot ze met haar duim en wijsvinger. Zijn neus was scherper dan toen hij leefde, de neusbrug als de rand van een afgebotte bijl, en zijn bloedeloze lippen waren weggetrokken in een kwaadaardige grijns.

'Gevallen?' vroeg Varn die vlak achter Feun was komen staan.

'Misschien is hij uitgegleden.'

Ze keek omhoog langs de ruw uitgeslepen trappen.

'De kliffen zijn nat van de dauw en Mung liep vaak met zijn hoofd in de wolken.'

'Dat klopt. Alsof na de meditatie een deel van hem nog altijd in de wereld van de geesten vertoefde.'

'Of misschien werd hij geduwd', zei Gorb, die zich tussen de anderen door naar voren had gewrongen.

'Geduwd?'

Ranager, die zich over het lichaam had gebogen, kwam geïrriteerd overeind.

'Geduwd, Gorb? Wie zou daar baat bij hebben? En daarbij, niemand heeft vanmorgen het kamp verlaten. Gonne was de eerste.'

'Nee', zei Gorb. 'Vanmórgen niet.'

De klemtoon was niet mis te verstaan.

'Wat bedoel je daarmee?'

'Gisteren wel.'

Als een wilde kat sprong Kesse voor hem. Haar mond was een dunne streep, haar ogen bliksemden.

'Je bedoelt Ugur', sneerde ze.

Even bond Gorb in, alsof hij geschrokken was van Kesses reactie.

'Ugur én Pante én Oss. Drie zomerjongens die gisteren vertrokken zijn voor hun inwijdingstocht. Is het dan toeval dat de sjamaan net nu gevonden wordt?'

'Schoft', zei Kesse. 'Je hebt het Ugur nog altijd niet vergeven dat hij een lid was van de oerosstam. Hij woont bij ons, jaagt samen met de jagers, deelt mijn vuurplaats, maar voor jou blijft hij...'

'Een vreemde luis', zei Gorb neerbuigend. Zijn mondhoeken hingen misprijzend omlaag.

Bran en Gart stonden naast hem, schouder aan schouder, een onwrikbaar blok van haat.

'Dat zal hij altijd blijven, zelfs al heeft mijn eigen dochter zich met hem afgegeven.'

Feun wrong zich tussen Kesse en Gorb.

'Sinds Merrit dood is, ben jij geen familie meer van ons. En wij niet van jou. Je hebt een nieuwe vuurplaats met Dagte en Babbe en aan die van mij of Kesse ben je niet meer welkom. Wij zijn dochters van Merrit, niet van jou.'

Ze stonden tegenover elkaar alsof de een de ander wilde aanvliegen. Twee opgehitste roofdieren.

'Genoeg', zei Ranager scherp. 'Mung is dood. Hij is van de rotsen gevallen en nu moeten we hem...'

Zijn hoofd snokte omhoog en hulpzoekend keek hij rond.

'Kanter?'

Aarzelend kwam een jongen naar voren. Hij droeg een geelbruine golvende okerstreep over zijn voorhoofd, het teken van de leerling-sjamaan. Zijn rode haren waren kort afgesneden omdat hij nooit een volwaardige jager zou worden. Afwerend hield hij zijn handen voor zich uit en zijn ogen schoten in paniek heen en weer.

'Ik weet helemaal niet hoe dat moet, leider.'

Toen barstte hij los in schril gejammer.

'Ik weet helemaal niets. Ik...'

Feun legde haar hand op zijn schouder.

'Het is in orde, Kanter. Je was maar één zomer zijn leerling. Je kunt het niet weten.'

Hij hief zijn betraande gezicht.

'Ik weet niet eens...'

'Nee.'

Feun keerde zich om naar Ranager.

'Zelfs al zou je hem dwingen, dan nog kan hij geen overgang naar de andere wereld regelen. Hij heeft nog nooit contact met de geesten gehad. Hij kent geen formules of rituelen, hij heeft zelfs nooit de geestendrank geproefd.'

Ranager keek haar strak aan en knikte.

'Je hebt gelijk, Feun. Dan blijft er maar één oplossing.'

'Nee!'

Ze zette een stap achteruit en zocht steun bij Varn die zijn arm om haar middel sloeg.

Ranager spreidde zijn handen in een gebaar van onmacht.

'Je kunt er niet onderuit, Feun. Dat weet je net zo goed als ik. Je zult de geestendrank moeten bereiden en hem zelf drinken. Kesse kan je helpen.'

'Nee', zei Feun. Ze schudde hardnekkig het hoofd als wilde ze zichzelf overtuigen.

'Nee!'

'Jawel. De sjamaan is dood en zijn leerling is niet ingewijd. In de rangorde van de stam volgt dan de medicijnvrouw. Zo wil de wet van de stam het. Sinds de dood van Merrit ben jij dat.' Hij keek haar sluw aan.

'Jij bent de enige die ervaring heeft met de geesten. Ze praten er niet over omdat het hen bang maakt, maar alle stamleden kennen ondertussen het verhaal van het hert en de wolven die jij met je afbeeldingen naar je toe hebt gelokt. En ook de verhalen van jullie verblijf bij de oerosstam en hun magiër.' Feun herinnerde zich de woorden van Durandee. Hoe zij de geesten van de afgestorvenen begeleidde. Een gevaarlijke weg, waar kwaadaardige geesten op je loerden. Als je één pas naast het pad zette, grepen ze je en sleurden je mee in een afgrond die dieper was dan welke rotsspleet ook op aarde, dieper nog dan de onpeilbare spleten in de gletsjers. Een afgrond waaruit ontsnappen onmogelijk was. Zo had Durandee het verteld. Durandee die zelf over onvoorstelbare krachten beschikte.

'Ik kan het niet. Ranager, luister toch eens naar me. Ik heb nooit...'

'Mung zei dat je een betere sjamaan zou zijn dan Wuizel ooit is geweest. Hij heeft het er vaak met mij over gehad.'

'Achter mijn rug om!'

'Ja. Om de bestwil van de stam.'

Met een korte hoofdbeweging gaf hij twee jagers een teken om het lichaam weg te brengen. Plotseling duldde zijn stem geen tegenspraak meer.

'Breng alles in gereedheid, medicijnvrouw.'

Feun haalde diep adem en keerde zich om. Ranager legde zijn hand op haar tengere schouder.

'Het is voor het laatst dat ik je zo heb aangesproken. Vanaf nu ben je de sjamaan van de rendierstam. Of je dat wilt of niet.' In zijn blik lag ook medelijden.

'Denk niet dat ik dit graag doe, Feun. Ik heb je zien opgroeien. Je was altijd al een buitenbeentje. We zagen het door de vingers omdat je de dochter van Merrit was, de beste medicijnvrouw die de stam voor jou ooit heeft gekend, maar sinds Varn deze stamgrond voor ons vond, lijkt het of jij bij alle bijzondere gebeurtenissen betrokken bent. Varns tocht naar de ster met een staart van vuur, Wuizels dood, de ommekeer bij Mung, Merrit die de geest van de rode dood overwon, de vreemde jager in onze stam... Als Mirka bij de avondvuren daarover vertelt, duikt telkens jouw naam op. Dat is geen toeval meer.'

Varn zette een stap opzij, onder de indruk van Feuns nieuwe waardigheid. Het meisje stond plotseling alleen. Eenzaam ook.

*

'Hoe moet het nu, Feun?' vroeg Varn klagend toen hij bekomen was van de verrassing.

Feun sjamaan! De gedachte zette zich langzaam vast in zijn hoofd, blies zichzelf op als de krop van een kikker, kreeg tentakels met steeds meer vragen.

'Ga jij je intrek nemen in de sjamanengrot, terwijl ik alleen aan onze vuurplaats zit te kniezen?'

Hij probeerde zijn stem vlak te houden, maar ze kende hem door en door en hoorde de onmacht en de wanhoop erin.

'Wat Ranager ook beweert, Varn, ik ben en blijf medicijnvrouw. Daar ben ik goed in. Ik blijf ook aan onze vuurplaats bij jou en bij de kinderen die ik jou zal baren. Ondertussen zal ik Kanter begeleiden tot hij er klaar voor is om op zijn beurt sjamaan van de rendierstam te worden.'

'Ik ben bang, Feun.'

'Jij bang? Jij, Varn, de grote jager! Weet je dat iedereen fluistert dat jij ooit Ranager zult opvolgen als leider van de stam?'

Heel even lachte hij.

'Ik heb het ook gehoord. Maar je vergeet één ding: nooit eerder zaten de sjamaan en de leider aan dezelfde vuurplaats. Dat zal de stam niet aanvaarden.'

Feun wuifde zijn bezwaren weg.

'Er is wel meer wat voor het eerst gebeurt. We zijn nog jong, Varn, maar ik heb geleerd dat je de dagen een voor een moet nemen zoals ze komen, zonder erover te piekeren.'

Ze omvatte met haar blik het plateau, de grotten en de vlakte tot aan de horizon.

'Misschien komt dat door jou. Sinds jij deze stamgrond gevonden hebt, deze vallei van de overvloed, ben ik over heel veel dingen anders gaan denken. En van Durandee heb ik geleerd dat de geesten wel onze levens sturen, maar dat we ze daarbij een handje kunnen toesteken, dat we ze zelfs onze richting kunnen uitsturen als we dat maar hard genoeg willen.'

'Toch ben ik bang. Ze zullen ons uit elkaar halen zoals jagers een kudde splitsen. Onherroepelijk.'

'Onzin. Gesplitste kudden komen verderop weer bij elkaar, dat weet iedere jager. En daarbij, ons uit elkaar halen, dat konden zelfs de oerosjagers niet met Grouw aan kop. En dit zijn onze eigen mensen bij wie we opgegroeid zijn.'

'Net daarom ben ik zo bang. Gorb...'

'Gorb is niet belangrijk. Dat is hij nooit geweest.'

'Nee. Maar hij is sluw. Geslepen als een vos die zijn sporen perfect uitwist en iedere jager op een dwaalspoor brengt. Hij zal zijn verdachtmakingen uitstrooien als de pluisjes van een paardenbloem. Hij is een meester als het erop aankomt mensen tegen elkaar op te zetten. Met de ene kant van zijn gezicht zegt hij ja, met de andere nee. Tweedracht, daar leeft hij van.'

Varn spuwde al zijn haat voor Gorb in één gulp eruit.

'En hij is laf. Een bange wezel. Bij de jacht is hij de laatste die zijn speer gooit. Hij heeft daar altijd een uitvlucht voor. Gestruikeld. Krampen. Aangestoten door een andere jager net als hij zijn speer wilde wegslingeren. Achteraf voert hij wel het hoge woord. Het is zíjn speer die de prooi heeft gedood! Niet moeilijk als het dier al door andere speren geveld is. Soms word ik er kotsmisselijk van.'

Feun glimlachte.

'Dat zal je wel opgelucht hebben.'

'Toch heb ik gelijk. Samen met Bran en Gart heeft hij de stam zover gekregen dat Ugur een inwijdingstocht moet maken. In zijn eigen oerosstam was Ugur een volwaardige jager die deelnam aan de gevaarlijkste jachten. Hier wordt hij behandeld als een onvolwassen zomerjongen. Dat is een vernedering die velen niet geslikt zouden hebben. Kesse is er razend om.'

'Misschien zijn de meeste stamleden bang voor vreemdelingen', zei Feun.

Ze had daar sinds haar verblijf bij de oerosstam al vaker over nagedacht.

'Ook voor Ugur, hoewel die zich altijd op de achtergrond houdt. Misschien waren ze blij de oerosjager een tijdje kwijt te zijn. Misschien hoopten ze stiekem dat hij helemaal niet meer terug zou keren, zoals dat bij zomerjongens weleens gebeurt.'

'Bang voor Ugur?'

'Het is nooit eerder gebeurd, Varn, een vreemde jager in de stam. Sommigen zijn bang voor alles wat vreemd en nieuw is.'

Even liepen ze zwijgend naast elkaar. Feun zag de zorgenrimpel als een diepe voor boven Varns neus.

'Beloof het', zei hij.

'Beloven?'

'Onze vuurplaats. Samen.'

Ze greep zijn arm.

'Ik beloof het. Al zal ik me vaak in de sjamanengrot moeten terugtrekken.'

Haar heup voegde zich naar zijn lichaam als een zachte belofte.

'Maar de nachten brengen we door onder dezelfde vacht. Samen.'

Varn lachte opgelucht. Feun deed nooit lichtzinnig een belofte. Hij wist toen nog niet dat geesten vaak hun eigen plannen hebben.

*

Ze had de hele dag gevast en zich gewassen in de rivier. Overal om haar heen waren waterjuffers als blauwe schichten. Ze voelde een ongekende kracht die bezit nam van haar lichaam zoals mist een vallei kan vullen.

De sjamanengrot was ruim. Veel te ruim, te hoog, te overweldigend voor één man. Of voor één vrouw. Feun zat met
gekruiste benen bij de dode resten van het vuur, haar jak
dicht om zich heen getrokken tegen de kilte en tegen de
eenzaamheid. Haar blik zwierf door de ruimte. Aan een
rechtopstaand hertengewei hingen de berenmantel en de kop
met de grijnzende muil zoals Mung ze de laatste keer had
weggehangen. Alsof hij alleen maar even was weggegaan en
straks vrolijk fluitend kon binnenlopen. Feun wist meteen dat
ze die ceremoniële gewaden vanavond bij de begrafenis niet
zou dragen.

Verder was er niets wat aan de jonge sjamaan herinnerde. Een
verspild leven, dacht ze vol medelijden. Nutteloos. Als zijn
lichaam overgedragen was aan de geesten, zou er niets van
hem overblijven. Geen mes of bijl of speerpunt die hij geduldig
had geklopt, aandachtig luisterend naar het zingen van de
steen, geen huid die hij met zijn speer had buitgemaakt en die
een vrouw voor hem met liefde had gelooid... En evenmin
kinderen door wie hij in de stam zou hebben verder geleefd.
Toen dacht ze hoe onrechtvaardig ze was. Hoog op de klippen
lag de magische spiraal met de steen in het midden die hij had
laten aanleggen, een karwei waaraan de hele stam had
deelgenomen, maar die er alleen was gekomen door zijn
bezielende leiding. Tot het einde van de tijden zou het verhaal
worden verteld van Mung, de jonge sjamaan, die daar in het
fluisteren van de sterren had gehoord hoe de geest van de
rode dood kon worden overwonnen. Ere wie ere toekomt. In
die twee seizoenen was Mung belangrijker geweest voor de
stam dan Wuizel in zijn lange leven. Dankzij hem en het
geestenkruid had bijna iedereen de grote plaag van de rode
dood overleefd.

Ze ging verzitten en keek naar de donkere gang achter in de grot. Donker was niet het juiste woord. Het was alsof het licht, zelfs het zwakste schijnsel, daar naar binnen werd gezogen tot alleen een sinister zwart gat overbleef. Ze zat roerloos en liet haar geest langzaam leeglopen tot achter haar starende ogen de laatste gedachte door de wind was weggeveegd. De hemel achter de grotingang werd geleidelijk donker, de eerste sterren stonden laag aan de horizon en een koude wind deed de as wervelend opwaaien. Haar ogen vielen dicht, wit licht overspoelde haar en overal om haar heen waren verglijdende schimmen en fluisterstemmen. Eén stem steeg boven de andere uit. Een vreemd vertrouwde stem, bezorgd, strelend, vol intens medelijden.

Ik heb het je voorspeld, Feun, oudste dochter van me.

Merrit! Wanhopig trachtte Feun de stem vast te houden en oeverloos te genieten van elke klank, maar ze werd alweer zwakker, alsof Merrit zelf van haar wegdreef.

Niet gemakkelijk, dochter van me... Je zult het nooit gemakkelijk hebben...

Van het plateau kwam het doffe bonzen van botten die op elkaar werden geklopt. Het ritme was onregelmatig en onwillekeurig dacht Feun: Kanter moet nog veel bijleren als hij zelfs dit niet onder de knie heeft. Hoe moet ik hem ooit begeleiden op de weg naar de geesten? Hoe moet ik hem de essentiële begrippen bijbrengen die een sjamaan moet beheersen? Ik kan niet eens onder woorden brengen hoe mijn eigen gave werkt.

Met een schok besefte ze wat ze had gedacht. Bezat ze dan toch een gave? Durandee, dacht ze, als jij er was, zou het allemaal zoveel gemakkelijker gaan. Jij had immers overal een oplossing voor. Als een echo hoorde ze de stem van de oude magiër: *Het antwoord ligt bij jezelf, Feun.*

De slagen weergalmden niet in de grot. Het leek of niet alleen het licht, maar ook het geluid door de gang achterin werd opgezogen. Feun wist dat ze daar een van de volgende dagen op verkenning zou moeten gaan en ze huiverde bij de gedachte alleen. Ze vroeg zich af hoe ver Mung daarin was doorgedrongen? Had die tocht iets te maken met zijn dood? Wilden de geesten niet dat iemand kennisnam van hun diepste geheimen?

Ze schoof de gedachte weg. Ze moest zich concentreren op de taak die haar wachtte.

*

Vastberaden stond Feun op, verliet de grot en liep tussen de jagers en de vrouwen door naar de stamgrot en haar eigen vuurplaats. Eerbiedig schoven ze op om plaats te maken zodat een lang, recht pad ontstond. Een erg eenzaam pad vol eerbiedige stilte. Het drong nauwelijks tot haar door. Varns ogen hielden haar één ogenblik gevangen. Er lag nieuwsgierigheid in, wanhoop en tegelijkertijd trots. *Dit is Feun, de vrouw van mijn vuurplaats, aan wie een groot magiër een bijzondere toekomst heeft voorspeld. Ze zal als een echte sjamaan Mung naar de volgende wereld begeleiden.*

Bij haar vuurplaats – de enige waarvan de sintels nog gloeiden, want alle andere waren uit eerbied gedoofd – zocht Feun de juiste kruiden bij elkaar. Dat was het eenvoudigste deel van haar opdracht. Ze had het vaak genoeg samen met Merrit gedaan. Kesse wachtte wat verderop, een gevulde kookzak in haar handen. In het vuur lagen kookstenen. Feun nam de gevorkte stokken. Met plechtige gebaren liet ze een steen in de zak glijden die Kesse haar met gebogen hoofd zwijgend voorhield. Daarna strooide Feun verkruimelde bladeren in het borrelende water. De stoom had plotseling een scherpe, bijtende geur die in haar neus prikte en haar ogen deed tranen.

Buiten was het getrommel weggeëbd en daar hing nu een stilte vol gespannen verwachting.

Feun vulde de berenschedel met de sterk geurende vloeistof en prevelde de formules die Merrit haar in de gletsjergrot had geleerd. Ook dat was nog altijd routine. Ze nam één enkele slok.

Ze liep naar buiten en plotseling was het alsof vreemde krachten haar bewegingen overnamen. Ze hief het hoofd en liep met kaarsrechte rug. Haar stappen werden soepeler, haar handen vormden vreemde gestileerde gebaren.

De stamleden zaten gehurkt, hun kappen diep over hun hoofden getrokken als bescherming voor de bovennatuurlijke en vreesaanjagende krachten. De doorgang tussen hen leek nu een tunnel, een smal pad vol zacht sterrenlicht. Aan het eind lag een roerloos naakt lichaam. Zonder kleren en versierselen leek Mung klein, een kind haast.

Feun keek met tederheid op hem neer. Ze keek op naar de sterren en uit hun gefluister werden in haar hoofd woorden geboren. Op dat magische ogenblik, toen ze zonder na te denken die wondere kracht gehoorzaamde, werd ze sjamaan, want deze woorden gingen oneindig veel verder dan de kennis van een medicijnvrouw.

'Mung, die sjamaan was van de rendierstam, die de stemmen van de geesten hoorde hoog op de kliffen in het midden van de magische spiraal, hier begint jouw tocht naar de tweede wereld. De geesten van je voorouders wachten daar op je. De geesten van Merrit en Kala...'

Even stokte haar stem, want dat verdriet brandde nog in alle hevigheid in haar hart, toen vermande ze zich.

'Van Hora en Gemulde die jouw ouders waren en die stierven in de gletsjergrot nog voor jij volwassen was. De geesten van...'

De opsomming leek eindeloos. De stamleden luisterden met goedkeurende aandacht. Ranager had gelijk gehad: Feun was een goede sjamaan.

Haar gezicht was voor de helft verlicht door de rosse vlammen van het vuur, de andere helft door de maan. Het kwam Varn voor als een openbaring: Feun was voor de helft vrouw van de stam, de andere helft hoorde thuis in de wereld van de geesten. Hij zou voortaan nooit meer dan de helft van haar bezitten, hoeveel hij ook van haar hield.

Feun dompelde haar hand in de berenschedel. Ze voelde de warme vloeistof en sprenkelde druppels over het lichaam, ervoor zorgend dat ze op alle belangrijke organen terechtkwamen.

'Je ogen zullen zien, je mond zal spreken, je hart zal kloppen...'

Ook aan deze opsomming leek geen einde te komen. De stilte werd nog intenser. Zelfs de kinderen zaten met ingehouden adem en de wind hield op met ruisen, maar de sterren suisden en hun licht werd nog witter en intenser.

Toen trok Feun met rode oker een dubbele streep van Mungs voorhoofd over zijn scherpe neus, zijn gesloten lippen, zijn kin, zijn keel en zijn borst tot aan zijn navel. Angstvallig zorgde ze ervoor dat de strepen elkaar nergens raakten, zodat hij in het geestenrijk onmiddellijk herkend zou worden als sjamaan.

Ze gaf een teken aan het groepje mannen dat vlak achter het

lichaam zat. Ranager, Varn, Warre, Tjorn, Raven. In die volgorde kwamen ze naar voren. Ze grepen de armen, benen en het hoofd en droegen de dode weg van het plateau. Alleen Feun volgde hen. Ze aarzelde even en wenkte Kanter. Hij sprong op en volgde haar.

De groep liep langs het pad naar de rivier en hield halt, daar waar de sterke stroming verflauwde en het zwart glanzende water rustig stroomde.

Ze waadden naar het midden tot het rimpelende water hun dijen bereikte. De ijzige kou verlamde hen bijna. Feuns kaak bibberde en ze klappertandde, maar haar stem bleef vlak.

'In een gulp water ben je geboren, nu zal de stroom je meenemen naar de volgende wereld.'

Ze moest niet nadenken over de woorden, hoewel ze ze nooit eerder had gehoord.

Ze duwde het lichaam af en begon het doodslied te zingen. De anderen vielen meteen in. De nacht was vol melancholie.

Toen het lichaam langzaam wentelend in het duister verdwenen was, waadden ze zwijgend naar de oever. Feun wankelde en Varn greep haar bij de armen.

'Gaat het?'

Ze rechtte haar rug.

'Het gaat wel, Varn.'

Ze wierp een laatste blik op de rivier waar het sterrenlicht verschietende vlekjes toverde.

'Maar houd me vast, heel dicht tegen je aan.'

'Het was een prachtige ceremonie', zei Ranager voldaan en de anderen bromden instemmend. 'De rendierstam heeft opnieuw een volwaardige sjamaan.'

Feun zwaaide lichtjes heen en weer. Haar hoofd was ijl van de spanning en de nawerking van de drank.

Varn tilde haar op en droeg haar op zijn gestrekte armen naar het kamp, waar de vuren ondertussen weer ontstoken waren. In het rosse licht leek de grot een veilige, warme cocon.

De grote kookkuil werd geopend en de damp geurde overweldigend. Nog altijd zwijgend, met neergeslagen ogen en met gesloten, donkere gezichten schoven de stamleden langs. Ze aten hun eigen deel van het maal en een brokje van Mungs deel, zodat zijn geest voor altijd in ieder van hen zou voortleven.

Regelmatig zochten alle ogen Feun. Met ontzag en angst voor het ongrijpbare dat deze avond bijna zichtbaar om haar heen hing, de sfeer die zij geschapen had.

*

Feun wist dat ze niet langer kon wachten. Als ze Mungs taken moest overnemen – en dat bleken er meer dan ze ooit had vermoed –, dan moest ze de geheimzinnige gang verkennen. Ze had het telkens uitgesteld omdat ze nooit eerder voor iets zo bang was geweest, zelfs niet toen zij en Kesse door de oerosjagers waren ontvoerd.

Misschien was het er ijzig koud zoals in de diepten van de gletsjergrot en moest ze haar warmste mantel omslaan, of misschien net niet. Maar in elk geval zou het er aardedonker zijn en doodstil, geen gekwetter van vogels, geen geluiden uit de verte, geen gezoem van insecten, geen geritsel van kleine dieren tussen dode bladeren, alleen de stilte van de dood. En angstaanjagend zou het er zijn. Ze herinnerde zich de woorden van Merrit toen op een stormnacht haar kleine dochter dicht tegen haar aan was gekropen. *Angst heeft zijn eigen schaduwen.* Ze huiverde. Zou ze de schaduw van haar eigen angsten daar ontmoeten? Zouden ze als vleermuizen om haar heen fladderen en haar raken met hun vleugels zodat ze als verlamd zou achterblijven?

Er was meer. Er waren de woorden van Durandee die op dat ogenblik geen indruk op haar hadden gemaakt, maar die in haar hoofd waren blijven hangen en haar sinds haar komst naar de sjamanengrot niet meer verlieten. Donkere woorden, zwaar van geheimzinnigheid.

De schoot van de Moeder zelf. Een grot als de ingang van een vrouw. Een gang draaiend en wendend als ingewanden, zich splitsend en weer samenkomend en in het centrum de plaats waar alle magie zich samenbalt, waar de geesten van alle wezens worden geboren. Alleen daar kun je volwaardig magiër worden.

Ze had daarbij peinzend voor zich uit gekeken en eraan toegevoegd: *Ik ben te oud om de plaats nog te vinden, maar in mijn dromen zie ik jou er binnenlopen...*

Toen had ze zich omgekeerd en was weggelopen.

De ingang van de Aardmoeder? Dat was van alle magische geheimen het verlammendste, het heiligste. Het was de ultieme droom van alle sjamanen en magiërs die ingang te vinden en te betreden en tegelijk was het hun diepste angst.

Feun kneep haar ogen dicht om de gedachten weg te dringen. Ze nam een vetlampje mee, maar stopte ook vuursteen, pyriet en tondel in een plooi van haar jak. En een reep gedroogd vlees. En een mes. Ze wist dat ze niet genoeg voorzorgen kon nemen, omdat ze geen idee had van de gevaren die daar op haar loerden. Wanhopig wilde ze met alle vezels van haar lijf dat Varn bij haar zou zijn, maar tegelijk wist ze dat ze deze tocht alleen moest maken. Dit was de sjamanengrot en misschien de toegang tot de plaats waarover Durandee had gesproken.

Aarzelend liep ze het donkere gat in. De duisternis slokte haar op. Een lichte tocht blies bijna meteen haar lamp uit. Ze stond doodstil alsof het donker een muur was waar ze tegenaan liep. Haar ogen schoten heen en weer. Achter haar was de vertrouwde schemering van de grot verdwenen en overal om haar heen hing een tastbare duisternis dik als spinrag. Aarzelend tastten haar blote voeten over de vochtige bodem, haar vrije hand zocht een wand. Toen ze die eindelijk gevonden had, koel en glad als een schoongewassen kei in de rivier, schoof ze erlangs. Ze dwong zichzelf rustig te ademen. Na enige tijd die eindeloos leek, begonnen haar ogen aan de duisternis te wennen. Vaag onderscheidde ze de wanden van een smalle gang. Vlak voor haar boog de zoldering omlaag, zodat ze zich moest bukken om er onderdoor te komen. Ze kwam in een ruimte van waaruit meerdere gangen vertrokken. Ze huiverde. *Een grot als de ingang van een vrouw... draaiend en wendend als ingewanden, zich splitsend...* Ze schuifelde langs de wanden. Drie gangen, een hoger dan ze met haar gestrekte arm kon voelen, de twee andere vrij laag maar nog hoog genoeg om er gebukt doorheen te lopen, net zoals de gang waar ze uit was gekomen. Ze verstijfde. Uit welke van de drie...? Ze ademde snel en gejaagd, want plotseling was ze nergens meer zeker van. Was ze nu al verdwaald? Mirka had ooit het verhaal verteld van een leerling-sjamaan die alleen de gletsjergrotten was ingegaan en nooit meer was teruggekeerd. De stam had huiverend geluisterd en de kinderen waren weggekropen achter de rug van hun moeder. Feun rilde onbedaarlijk.

Ze koos de hoge gang waar het frisser was, alsof er een nauwelijks merkbare luchtstroom doorheen blies. De wand was vlak en glad. Een perfecte wand.

Weer waren er de woorden echoënd uit het niets: *...de plaats waar alle magie zich samenbalt, waar de geesten van alle wezens worden geboren...*

Ze zou hier... Ze dacht aan gele en rode oker en ingekookt sap van alruin en bramen en... Ze durfde de gedachte niet af te maken, want hierover zouden de geesten moeten beslissen, maar ze zag de afbeeldingen van herten, paarden, bizons en andere prooien zo duidelijk voor zich alsof ze al op de wanden stonden afgebeeld. Ze voelde een zachte, schuin aflopende uitstulping als de rug van een mammoet en met gesloten ogen zag ze het majestueuze dier uit de rots tevoorschijn komen. Ze wist uit ervaring dat ze het kon, zelfs hier waar al het licht van de wereld verdwenen was.

Na een eeuwigheid voelde ze de honger knagen. Ze ging zitten met gekruiste benen en at van het gedroogde vlees dat ze had meegebracht. De kou trok door haar jak door haar lichaam omhoog. Plotseling hoorde ze een zacht geruis. Een rivier? Ze spitste haar oren. Ze wist dat in het donker je andere zintuigen scherper werden.

Voorzichtig liep ze verder. Er moest hier ergens een bron zijn, want het water sijpelde langs de wand. Ze likte het op tot haar dorst gelest was. Het was verfrissend koel, maar ook verwarrend smakeloos, totaal anders dan alle andere water dat altijd wel een flauwe herinnering van kruiden of aarde meedroeg. Eigenlijk smaakte dit alleen naar gesteente, een onvoorstelbaar grote hoeveelheid gesteente, graniet en arduin en kwarts...

Voor het eerst kreeg ze een idee van de ontzaglijke massa boven zich en om haar heen. Ze kromp in elkaar, maakte zich zo klein mogelijk. Na een tijdje probeerde ze vuur te maken, maar haar handen waren verstijfd en het lukte niet een vonk in de tondel te vangen.

Toen ze dacht dat ze nooit meer een weg terug zou vinden, dat ze hier zou ronddwalen tot haar krachten het begaven, flikkerde in de verte een dun streepje schemering. Het verflauwde, verdween en verscheen weer, het was niet meer dan een illusie van licht, maar het was voldoende om erop af te gaan. Ze perste zich door een nauwe doorgang en kwam eindelijk via een smalle spleet waar ze zich doorheen moest wringen, achter een wirwar van een bramenbos weer in de open lucht. Ze schramde haar armen en benen toen ze zich erdoorheen worstelde, maar ademde opgelucht.

Voor haar lag een kleine open plek, aan drie kanten afgesloten door hoge sparren, berken en ceders. Aan de vierde kant lag de heuvel met de grotingang waaruit ze zonet gekomen was. De bodem was bedekt met mos en dennennaalden. Er was een plas waarin het laatste licht van de dag spiegelde en een smalle beek die van de heuvel stortte.

Eén brok graniet brak door de schrale bodem van de open plek. Het stak eruit als gebroken gebeente door het opengescheurde vlees van een karkas.

Met haar rug tegen het gekartelde brok graniet... Feun verstrakte. Haar adem stokte en ze duizelde. Daar stond een meisje, een kind nog. Ze droeg een kort jak dat haar slanke, bruine dijen bloot liet. Ze had iets... Feun kon het niet onder woorden brengen. Ze was tenger, fragiel, breekbaar haast en toch volmaakt. En naast haar, met gespreide poten en dreigend geheven snuit, stond een jonge wolf. Zijn grauwe vacht stak nauwelijks af tegen de grijze rots, maar zijn ogen bliksemden met een kwaadaardige rode gloed en zijn tanden blikkerden roofzuchtig. Met zijn lange tong likte hij de hand van het meisje. Feun was nog sterk onder de indruk van haar tocht door de duisternis van de grot. Ze knipperde met haar ogen, want wat ze hier zag kon alleen een illusie zijn, een beeld dat de geesten van de grot daar hadden gevormd om haar op de proef te stellen. Ze keek opnieuw, maar het meisje en de wolf waren er nog altijd. Met gestrekte vingers maakte ze het teken om geesten af te weren, maar het meisje bewoog niet. Toch wist Feun dat ze alleen maar een geest kon zijn. Ze kon zich vast onzichtbaar maken, want geen van de jagers had haar ooit gezien en ze stond daar waar de magische gang eindigde!

En – Feun ademde diep om er zeker van te zijn dat ze niet droomde – ze bezat de macht om een wolf te bevelen.

Voorzichtig zette Feun een stap achteruit, de bramenstruik duwde pijnlijk in haar rug.

De wolf grauwde, zijn nekharen gingen overeind staan, zijn ogen flikkerden alsof weerlichten erin weerkaatsten.

'Wolf houdt niet van vreemden', waarschuwde het meisje. 'Hij gehoorzaamt alleen aan mij.'

De stem klonk hees en laag, niet als die van een kind. Feun zag nu dat ze zich vergist had. Het meisje was dan wel klein en slank, maar toch was ze een jonge vrouw met nauw ontloken borsten en sterke, slanke dijen. Een volkomen rijpe, kleine vrucht.

De klank van de woorden was vreemd, maar het meisje onderstreepte ze met gebaren en Feun verstond haar best.

'Een wolf kan niet bij de mensen wonen', zei ze voorzichtig.

'Misschien in jouw wereld, maar niet in deze.'

'Mijn wereld?' Het klonk smalend. 'Wat weet jij van mijn wereld?'

'Ik...'

Feun vond het allemaal erg verwarrend.

'...ik weet af van de geestenwereld... Ik kan de drank bereiden die sjamanen drinken om met de geesten te praten. Ik weet ook van de weg die naar de geestenwereld leidt...'

Ze aarzelde. Ongetwijfeld beschikte dit wezentje over ongekende krachten. Ze herinnerde zich de demonstratie van Durandee. Achter haar rug zochten haar handen een opening in het bramenbos, zodat ze bij het minste gevaar de gang in zou kunnen vluchten. Ze vond de verschrikking van de duisternis in de eindeloze gang minder erg dan deze confrontatie met het vreemde geestenmeisje en haar wolf. Doornen prikten venijnig in haar vingers, maar dat voelde ze niet.

Het meisje lachte spottend.

'Wat wauwel je toch voortdurend over geesten? Ben je niet goed bij je hoofd? Dwaal je daarom hier in je eentje rond?'

Ze nam Feun op van het hoofd tot de voeten.

'Misschien ben je net als ik. Iemand zonder stam. Dan laat ik je bij me wonen. Als Wolf het goedvindt...'

'Bij je wonen?'

Het meisje maakte een gebaar naar het bos.

'Ik heb een onderkomen. Als de winter komt, kan ik er niet blijven, dan moet ik op zoek naar iets anders. Ik heb geen pyriet om vuur te maken en met draaistokken lukt het me niet. Misschien ben jij handiger of heb jij wel vuursteen.'

Haar stem klonk plotseling gretig.

'En anders...' Ze maakte een achteloos gebaar. 'Ik red me wel. Dat heb ik altijd al gedaan.'

Geleidelijk besefte Feun dat het meisje misschien wel echt van vlees en bloed was. Ze had nog altijd meer vragen dan vingers aan haar hand – *Waar kom je vandaan? Waar is je familie? Je stam? Waarom ben je hier alleen? Hoe komt het dat die wolf jou in zijn buurt verdraagt?...* – maar die moesten nog even wachten.

Het meisje sloeg haar wimpers op en het was alsof twee

vlinders opstegen. Haar lichtblonde haren waaiden om haar hoofd. Als distelpluimen op de wind, dacht Feun. Even licht, even zacht. Ze vond haar ongelooflijk knap.

Ze probeerde de aanwezigheid van de jonge wolf te negeren en nam het meisje beter op. Ze droeg alleen een versleten, veel te krap jak.

'Je kunt meekomen.'

Ze sprak de woorden langzaam uit en maakte er de passende gebaren bij.

'In mijn stam zal niemand je kwaad doen.'

Ze aarzelde.

'Maar de wolf...'

Het meisje sloeg haar arm om de nek van het dier en weer deinsde Feun achteruit bij het onbegrijpelijke gebaar.

'Wolf hoort bij mij.'

'Hij kan niet bij de stam!'

'Nee. En daarom...'

Ze maakte een vreugdeloos, intriest gebaar met haar armen over de kliffen en de heuvels heen. Feun begreep best wat ze bedoelde: daarom ben ik niet naar jullie toe gekomen.

Uit de richting van de avondzon kwamen aardedonkere wolken zo snel opzetten dat het was alsof ze door een stormwind werden voortgejaagd. Feun wist dat er elk ogenblik een onweer kon losbarsten en ze wilde hierdoor zo ver weg van de stam niet overvallen worden.

Ze knikte het meisje toe.

'Morgen', zei ze. 'Morgen kom ik terug. Denk na over wat ik gezegd heb. Je kunt bij ons wonen.'

Ze liep de heuvel op, voortdurend achteromkijkend of de wolf niet achter haar aankwam. Maar het meisje en het beest bleven roerloos bij het blok graniet staan.

2

Feun keerde niet terug langs de onderaardse gang – haar nekharen stonden nog overeind bij de gedachte aan de volslagen duisternis en de sfeer van donkere magie –, maar koos de weg over de heuvel en de daarachter liggende kliffen. Toen ze voorzichtig, voetje voor voetje, haar gedachten voortdurend bij Mung, de natuurlijke trappen naar het plateau voor de grotten afdaalde, zat Varn met gekruiste benen op een vacht, driftig schurend aan een speerschacht.

Toen hij haar zag, slaakte hij een verraste kreet.

'Feun!'

Hij keek verbijsterd.

'Ik heb jou...'

Zijn ogen vlogen van haar naar de sjamanengrot en weer terug.

'Ik heb jou de grot zien binnengaan. De sjamanengrot.'

Hij slikte.

'Ik ben hier niet weggeweest. De hele dag niet. Ik heb deze speerschacht gesneden en gladgeschuurd.'

Hij toonde haar de beenwitte stok.

'Al die tijd heb ik de ingang van de grot in het oog gehouden. Ik wachtte op je, want ik ben er nooit helemaal gerust op als je

daar naar binnen gaat. Je weet dat ik nooit hoog heb
opgelopen met al dat geestengedoe. En zeker niet sinds
Mung verongelukte en Ranager besliste dat jij de nieuwe
stamsjamaan zou worden en sinds jij je daar gewillig bij
neerlegde.'
Nukkig voegde hij eraan toe: 'Een beetje te gewillig naar mijn
zin.'
Hij sprong op. De houtkrullen dwarrelden van zijn schoot.
'Toen werd de hemel alsmaar donkerder en ik werd nog
ongeruster, want als jij daarbinnen zou zijn als de geesten van
bliksem en donder losbarstten... Misschien waren ze wel boos
op je, omdat je ze gestoord had. En nu...' Weer keek hij met
ogen vol ongeloof van haar naar de sjamanengrot en terug.
'Nu kom je van de kliffen.'
Feun greep zijn arm en trok hem mee.
'Ik leg het je wel uit.'
Een eerste, verblindend witte bliksemflits kliefde als een
gevorkte tak de hemel en meteen erna ratelde een oor-
verdovende donderslag.
'Rennen, Varn!'
Toen ze bij het gemeenschapsvuur zaten, vertelde ze met
langzame, bedachtzame stem over haar ervaringen in de grot.
De lange uitzichtloze en huiveringwekkende tocht door het
aardedonker deed ze af met een paar woorden; die geheimen
waren niet voor de stamleden bestemd. Alleen Kanter zou
erover horen. Maar ze sprak wel over de uitgang in het
bramenbos en na enige aarzeling ook over het geheimzinnige
meisje.
'Toen ik haar vond, had ze een wolf bij zich', zei ze.
Ze keken haar aan met grote ogen vol ongeloof. Had hun
sjamaan te lang in de heilige grot vertoefd? Hadden de geesten

haar zo in de war gebracht dat ze nu onzin uitkraamde?

'Een jong?' vroeg Aske aarzelend. 'Uit een wolvennest geroofd?'

Dat konden ze zich nog net voorstellen.

'Hoe ze eraan kwam, weet ik niet. Hij was jong, dat zag je aan zijn bleke vacht, maar al even groot als een volwassen mannetjeswolf.'

'En hij...?'

Ze zochten met zijn allen de juiste woorden, met gefronste voorhoofden en blikken vol onbegrip.

'Hij stond bij haar, vlak tegen haar aan, zijn kop tegen haar dij.'

Enkelen lachten, nu wisten ze zeker dat hun sjamaan hen voor de gek hield.

'Ik verzin dit niet', zei Feun. 'Ze noemt hem Wolf.'

Ze zaten nog lang zwijgzaam bij elkaar, de vrouwen trokken hun kinderen dichter tegen zich aan en de schaduwen leken dieper en donkerder dan op andere avonden. In de verte trok het onweer rommelend weg.

*

De volgende dag keerde Feun terug naar het kleine dal. Bij het wakker worden, dicht tegen Varn aangeschurkt, met de geur van zijn huid in haar neus, had ze zich afgevraagd of ze het niet allemaal gedroomd had, of de geesten uit de schoot van de grot haar geen illusie hadden voorgespiegeld om haar te straffen voor haar nieuwsgierigheid.

Opnieuw koos ze de weg over de kliffen en de heuvel. De hemel was door het onweer schoongewassen, stralend helderblauw tot aan de verste horizonten, en daarin zweefden sneeuwwitte wolken langzaam en statig voorbij. Ze ademde diep de geurige herfstlucht in.

Het meisje en de wolf stonden bij het blok graniet. Het leek of ze sinds de vorige dag niet hadden bewogen.

'Ik heb je verwacht', zei het meisje.

Feun nam haar nauwkeuriger op. Er lag over haar gezicht een bijzonder soort schoonheid. Ze had volmaakt gevormde lippen en donkere ogen onder zware wimpers die schenen te trillen onder de druk van het licht.

Feun bleef op voorzichtige afstand, haar ogen nu strak op de wolf gericht, haar speer vast omknellend.

'Ik heet Feun', zei ze langzaam, nadruk leggend op elk woord. Haar hand wees naar haar borst.

'Ik ben de medicijnvrouw van de rendierstam. Onze stamgrot ligt ginder, vlak achter de witte kliffen.'

Ze maakte een weids gebaar en keek het meisje afwachtend aan. Toen die sprak was het met duidelijke tegenzin.

'Ik heet Mirre. Ik ken jouw stam, maar zelf heb ik er geen.'

Net zoals dat met de jagers van de oerosstam was geweest, begreep Feun haar hoewel de klank van de woorden vaak anders was.

'Onzin', zei Feun. 'Iedereen heeft een stam.'

'Ik niet.'

In een flits begreep Feun het.

'Ben je verbannen?'

Het meisje sloeg haar ogen op en keek Feun doordringend aan, maar antwoordde niet. Ze streelde de kop van de wolf.

'Dit is Wolf.'

Ze had wit glanzende littekens op haar handen en onderarmen. Feun vroeg ernaar, maar Mirre wuifde het weg.

'Je begrijpt het niet. Ik heb Wolf sinds hij erg klein was. Hij wilde met me spelen, maar kende de kracht van zijn nagels en tanden niet. Nu krabt of bijt hij niet meer.'

Even flikkerden haar ogen kwaadaardig.

'Tenminste, míj bijt hij niet meer.'

De klemtoon was onmiskenbaar en de dreiging duidelijk.

Het hele gesprek leek Feun onwezenlijk.

'Je zult moeten kiezen', zei ze. 'Bij ons wonen zonder wolf of met je wolf wegtrekken. Terugkeren naar je eigen stam of voor de winter nog ergens op de steppe mensen zoeken die het niet vreemd vinden om met een wolf samen te leven.'

'Ik heb jullie bespied. Een maan lang.'

Als ze al die tijd door geen van de jagers was ontdekt en ook niet door Mung die zo vaak boven op de kliffen mediteerde, moest ze zichzelf haast onzichtbaar hebben gemaakt, dacht Feun. Beschikte ze dan toch over geheime krachten?

'Waarom ben je niet naar ons toe gekomen?' vroeg ze.

'Met Wolf?' vroeg ze. Het was een vraag en antwoord tegelijk. Haar hand krauwde liefkozend in de korte lichtgrijze nekharen van de wolf.

Feun knikte dat ze het begreep. De stam zou het nooit aanvaarden. Ze wist niet eens of ze het zelf zou aanvaarden.

'Ik zal nog één keer terugkomen', zei ze. 'De dag nadat de maan vol is geworden. Dan moet je een beslissing hebben genomen. Leven in de stam of met je wolf.'

*

Ugur keerde terug, twee dagen na Pante en Oss, die samen waren komen opdagen, een arm om elkaars schouder, hun buit trots over de andere. De twee praatten achteloos over hun avonturen, maar waren stiekem opgetogen over de aandacht en de openlijke bewondering van de meisjes.

Gorb had al schamper opgemerkt dat ze de vreemdeling wel nooit meer zouden terugzien en Kesse had geprobeerd haar onrust voor iedereen te verbergen. Alleen tegen Feun durfde ze haar grootste angst uit te spreken.

'En als hij nu eens teruggegaan is naar zijn eigen oerosstam? Vergeet niet dat we hem dodelijk beledigd hebben door hem als een onvolwassen zomerjongen te behandelen.'

Ze had haar vuisten gebald in een gebaar van onmacht.

'Als dat waar is, dan vermoord ik Gorb! Ik sla hem het hoofd in en leg hem boven op de rotsen als prooi voor de wilde dieren.'

Feun had haar uitgelachen.

'Heb je zo weinig vertrouwen in de man van je vuurplaats?'

Toen had ze haar arm om Kesses schouder geslagen en haar geknuffeld.

'Hij komt wel. Hij hangt nog veel meer aan jou dan jij aan hem!'

En nu was Ugur terug. Hij kwam het pad van de rivier naar de grot oplopen, fier rechtop, de glanzende bruinzwarte vacht van een holenbeer over de schouder. Een enorme, volwassen holenbeer. Daar werd iedereen doodstil van. Het was nooit eerder gebeurd dat een zomerjongen in zijn eentje een holenbeer doodde, ook niet in de verhalen van Mirka die zo vele generaties teruggingen.

Ugur legde de klauwen van het reusachtige roofdier voor Ranager op de grond.

'Mijn dank', zei hij. 'Mijn dank dat je als leider van de rendierstam mij gastvrij hebt opgenomen. Mijn dank voor Kesse die mijn vuurplaats deelt.'

Kesse zelf stond erbij met glanzende ogen, zich hevig bewust van de afgunst van de andere vrouwen.

'Ik zal de vacht verder bewerken', zei ze. 'En van de tanden maak ik...'

'Nee', zei Ugur. 'De tanden zul je zelf dragen. Dat is mijn geschenk voor jou.'

Kesse werd rood als een pioen en de vrouwen sisten verrast. Welke jager zou zo'n kostbare trofee wegschenken?

'Moeilijk zal het niet geweest zijn', lachte Gorb luid genoeg dat iedereen het kon horen. 'Je sart en plaagt een beer tot hij zijn luie kont heft en achter je aan komt. Dan loop je vlak langs de put die je gegraven hebt, de beer valt erin en je stoot je speer in zijn nek.'

Bran en Gart klopten op hun dijen van plezier.

'Je moet dan wel zorgen dat je snel genoeg loopt en dat je niet uitglijdt op wat dun van je billen zal lopen', zei Ranager.

Het gebeurde niet vaak dat hij zo scherp uithaalde en Gorb droop met zijn vrienden woedend af.

's Avonds vertelde Ugur hoe het allemaal gegaan was.

'Ik zag hem toen ik 's morgens mijn kamp opbrak. Hij had de wind op zijn snuit en kon me niet ruiken. Hij was majestueus. Ik heb nooit een prooi gezien die zo overweldigend was. Zo... groots. Ik wist meteen dat ik hem als buit wilde.'

Hij keek Kesse warm aan.

'Ik heb een spoor voor hem uitgelegd dat vlak langs een rots liep. Dan heb ik zijn aandacht getrokken. Ik ben languit op de rots gaan liggen en toen hij onder me langsliep, ben ik opgesprongen en heb ik mijn speer vlak achter zijn schouderbladen gestoken. Hij heeft nog naar me uitgehaald en dat was een schrikbarend gezicht, maar door die beweging is de punt van mijn speer doorgedrongen tot in zijn hart.'

Hij toonde zijn handpalmen.

'Zo eenvoudig was het. Ik heb meer last gehad van een

leeuwenfamilie die het op mijn buit gemunt had dan van de holenbeer zelf.'

'Ik heb je lievelingsthee gezet', zei Kesse.

'Alleen voor hem?' vroeg Varn.

'Alleen voor jagers die me de tanden van een holenbeer aanbieden', zei Kesse.

*

Het gebeurde vaker dat Varn met Feun meeliep tot bij de ingang van de sjamanengrot, maar er binnengaan deed hij nooit.

Kanter zat voor de ingang en trommelde met een dijbeen op een rendierschedel.

Tok, tok, tak. Tok, tok... Het ritme stokte. Kanter beet vertwijfeld op zijn onderlip.

'Het lukt me nooit', klaagde hij. 'Ik hoor de melodie in mijn hoofd. Tok, tok, tak. Dat is toch niet moeilijk. Tok. Tok. Tak. Tok. Tok. Tak. Maar als het wat sneller moet, gaan mijn handen telkens de verkeerde kant op. Tok. Tak. Tak. Tok.'

'In de naam van de geesten, Kanter, wat heeft Mung je dan wél geleerd?' vroeg Feun. 'Jullie zijn toch een zomer lang samen opgetrokken!'

Feun bedacht hoe veel ze zelf in enkele dagen van Durandee had opgestoken.

'Hij heeft me leren tellen.'

Kanter zei het vol trots.

'Tellen?'

'Tot het magische getal.'

Hij knoopte zijn gordel van gevlochten paardenmanen met daarin knopen los. Hij sloot zijn ogen om zich te concentreren en liet het snoer door zijn handen glijden, de knopen om beurten betastend.

'Een. Twee. Drie. Vier.'

Hij aarzelde even.

'Vijf. Zes.'

Varn staarde hem aan. Hij wist dat er getallen bestonden voorbij de vijf, maar hij had hun namen nooit gehoord. Hij zou ze ook nooit kunnen onthouden en dat was ook nergens voor nodig. Wat moest een jager met die kennis? En trouwens, gaf het eigenlijk wel pas dat Kanter ze in zijn aanwezigheid noemde? Hij keek vragend naar Feun, maar ze had geen aandacht voor hem. Gefascineerd volgde ze de volgende getallen.

'Zeven. Acht. Negen.'

De pauzes tussen de getallen werden langer, alsof Kanter dieper in zijn geheugen moest graven.

'Tien. Elf. Twaalf. Dertien!'

Het laatste getal gooide hij er triomfantelijk uit.

'Een magisch getal?' vroeg Feun gretig.

Kanter knikte vol overtuiging.

'Dertien keer wordt de maan vol in de loop van een jaar. En de nieuwe maan groeit in dertien dagen van nieuw naar vol. Daarom is het het meest magische van alle getallen.'

Ze zwegen lang. Hoog boven hen trok een vlucht ganzen een wig door de hemel.

Varn besefte dat dit geheimen waren waarvoor de kennis van jagers ongelooflijk tekortschoot. Hij legde zijn hand op Feuns schouder.

'Ik zie je straks wel.'

Feun keek hem lachend na.

'Varn houdt niet van magie', zei ze. 'Dat is niet gemakkelijk als de vrouw van je vuurplaats sjamaan is.'

Ze greep Kanters arm.

'Kom op, leerling-sjamaan. We gaan de gang achter in de grot verkennen. Merktekens aanbrengen, zodat we er een volgende keer niet kunnen verdwalen.'

Vol afgrijzen staarde Kanter haar aan.

'De gang achter in de grot?' vroeg hij. 'Merktekens? Jij wilt dat ik...'

'Ja', zei Feun. Ze begreep zelf niet waarom het plotseling zo belangrijk was.

Ze namen fakkels en houtskool en liepen, Feun voorop, de gang in. Even woei de vlam van de fakkel hoog op en de zwarte walm zweefde voor hen uit. Kanter trapte op Feuns hielen.

'Rustig', zei ze. 'Misschien is het beter dat jij de fakkel draagt, dan kan ik de merktekens aanbrengen.'

In de doodse stilte klonk alleen het sissen van de vlam en voor hen gaapte de aardedonkere leegte.

*

Feun klom over de kliffen en de heuvel. De lage zon wierp lange schaduwen die voor haar uit dansten. Ze vond het niet eens vreemd het meisje en de wolf samen te zien. In haar geest hoorden de twee al bij elkaar.

'De maan is vol geweest', zei ze. 'Ik kom zoals ik het beloofd heb. Binnenkort komt de winter.'

Ze hield haar stem vlak om de wolf niet agressief te maken en hield haar speer voor alle zekerheid vast omkneld. Haar andere hand lag op de slinger die ze aan haar gordel had geknoopt. In een plooi van haar jak zaten ronde rivierkeien, zwaar genoeg om een jonge wolf neer te leggen als ze hem goed raakte.

'Je zult het moeilijk hebben om te overleven, zelfs als je samen met jouw wolf jaagt.'

Mirre knikte alsof ze al tot dat besluit was gekomen. Ze streelde Wolf over de kop en praatte tegen hem. Hij ging kwispelstaartend zitten en Mirre liep naar Feun. Toen ze enkele stappen gezet had, sprong Wolf op en kwam haar achterna. Mirre raapte een steen op en gooide ermee. Ze zwaaide met haar armen en riep: 'Weg, maak je weg.'

Wolf jankte zachtjes, alsof het een nieuw spelletje was.

Feun keek stomverbaasd toe. Ze nam haar slinger en legde er een kei in.

'Weg', grauwde Mirre en ontblootte haar tanden in een kwaadaardige grijns. 'Scheer je weg!'

De wolf rende een eindje terug, keerde om en bleef staan, zijn roze tong ver uit zijn bek.

Mirre liep tot bij Feun, die een eind verderop wachtte, haar slinger in de aanslag. Meteen rende de wolf achter haar aan.

Feun zwierde haar slinger, maar Mirre bukte zich, greep een steen en wierp die tegen de kop van de rennende wolf. Feun liet haar slinger vallen en omknelde haar speer, want als het roofdier woedend werd en hen aanviel... Maar de wolf bleef verbouwereerd staan en bewoog niet meer, ook niet toen de meisjes de heuveltop bereikten en de helling erachter afliepen.

Er liepen dikke tranen over Mirres gezicht. Feun liep zwijgend naast haar. Ze wist wat afscheid nemen betekende. Sem, dacht ze, haar broer, die door de wraakgierige Wuizel aan de geesten was geofferd. Merrit, gestorven toen Feun en Kesse ontvoerd waren. Durandee, van wie ze afscheid had genomen en die ze nooit meer terug zou zien. Hartverscheurende pijn!

Maar dit verdriet om een roofdier kon ze helemaal niet vatten. Ver achter hen klonk een jankend gehuil dat ook bij Feun rillingen over de rug deed lopen.

Toen ze over de kliffen heen waren en uithijgend even bleven staan, legde Feun haar hand op Mirres arm. Ze keken uit over de rotsen en de vallei.

'Het rendierkamp', zei Feun met ingehouden trots. Haar arm beschreef een wijde boog over de grotten, het plateau en de rivier en zelfs over de steppe daarachter. Er smeulde nog altijd een warm gevoel diep in haar borst bij de aanblik ervan.

Mirre knikte, maar om haar mond bleef een verbeten trek liggen.

'Mijn jager heeft deze stamgrond voor ons gevonden', zei Feun. 'Als je dat wilt, wordt het ook jouw thuis.'

Mirre keerde zich nog één keer om en zei: 'De hele zomer lang is hij mijn vriend geweest.'

Feun begreep dat ze op die manier afscheid nam van de wolf.

Toen ze afdaalden, renden kinderen hen gillend tegemoet, maar toen ze de vreemdelinge bemerkten, troepten ze geschrokken op een kluitje samen. Ook de vrouwen staakten hun activiteiten en staarden hen aan.

Varn kwam hen tegemoet. Hij zag de felle glans in Mirres ogen. Ze schenen te branden als vuur. Hij besefte dat ze gevaarlijk kon zijn, hoewel hij zich niet kon voorstellen op welke manier.

Feun knikte hem toe en liep door naar de stamgrot en de vuurplaats van Ranager. Hij zat in gedachten verzonken en merkte hen pas op toen ze vlak voor hem stonden. Hij is in korte tijd oud geworden, besefte Feun. Zijn baard en haren worden steeds witter en zitten vol kale plekken, zijn gezicht is gerimpeld als de huid van een oude olifantenkoe.

'Dit is Mirre. Ik heb haar gevonden achter de kliffen', zei ze.

Over de wolf zweeg ze voorlopig.

Ranager monsterde het meisje langdurig, tot ze onrustig van de ene voet op de andere bewoog. Zijn ogen bleven rusten op haar gescheurde jak en blote voeten.

'Opnieuw een vreemdelinge, Feun? Eerst kom je aanzetten met Ugur en nu met haar. Het lijkt hier wel...'

Hij zocht vruchteloos het woord en wreef over zijn voorhoofd.

'Wat doet een meisje alleen in de heuvels?' vroeg hij eindelijk.

Feun haalde de schouders op.

'Ze is weinig spraakzaam, leider. Ik heb haar meegebracht omdat ze alleen was. Ik kon haar daar moeilijk alleen achterlaten, met de winter in aantocht.'

'Haar familie?'

Opnieuw haalde Feun de schouders op. Ze kon bijna zien hoe hij koortsachtig nadacht om deze geheel nieuwe situatie aan te pakken. Toen begreep ze dat de leider van de rendierstam niet alleen lichamelijk oud was geworden. Ook van zijn kordate optreden, van zijn snelle beoordelingsvermogen was weinig overgebleven. Als hij ook nog een zware winter moest doormaken...

Boos schudde ze de gedachte van zich af. Misschien was hij alleen maar moe.

Uiteindelijk zei Ranager: 'Je hebt goed gehandeld, sjamaan.'

Feun zuchtte opgelucht.

Hij wees naar een hoek van de grot die nog niet was ingenomen omdat de wind daar vrij spel had.

'Ze kan een eigen vuurplaats hebben, tenzij jij...'

'Een eigen vuurplaats is goed', zei Feun haastig. Ze voelde zich nog altijd onwennig in de buurt van Mirre en huiverde bij de gedachte dat zij bij haar en Varn zou intrekken.

Ranager boog het hoofd, opnieuw in gedachten verzonken.

'Is alles in orde met je, leider?' vroeg Feun bezorgd. Als medicijnvrouw herkende ze bij Ranager symptomen die haar verontrustten.

Even flitsten zijn ogen onder zijn zware, witte wenkbrauwen.

'Ja. Nee! Ik moet met je praten, sjamaan. Over de dromen die de geesten me elke nacht bezorgen.'

Met een vermoeid gebaar veegde hij opnieuw over zijn voorhoofd, alsof hij de zorgen wilde verjagen.

'Zodra ik Mirre geïnstalleerd heb, kom ik bij je zitten.'

'Nee, niet meteen. Ik moet er zelf over nadenken. En eerst moet ik nagaan of alles voor de winter in orde is.'

Hij glimlachte, een vage, wat trieste glimlach.

'De verantwoordelijkheid van een leider, weet je. En misschien moet jij Kesses voorraden maar eens controleren. Ook voor haar is het allemaal nieuw.'

Bij het gemeenschapsvuur zei Feun tot de andere vrouwen: 'Dit is Mirre, het wolvenmeisje.'

'Waar is die wolf dan?' vroeg Ymir.

'Toen ze besliste om mee te komen naar de stam, heeft ze hem weggestuurd.'

'En dus zwerft hij in de buurt rond!'

Hun wantrouwen werd nog groter.

'Ik heb een paar avonden een wolf horen huilen', zei Kesse. 'Niet eens zo ver weg. Achter de kliffen, dacht ik. Ik heb er weinig aandacht aan geschonken, er zwerven altijd wel eenzame wolven rond. Meestal zijn het verstoten mannetjes die geen eigen roedel meer vinden.'

Ze knikten allemaal. Alleen Ymir bleef wantrouwig.

'Eenzame wolven, daar heb je gelijk in. Maar dat een wolf bij mensen woonde, daar heeft zelfs Mirka nooit over gehoord.'

'Als jullie het willen zien, dan vraag ik Mirre of ze hem wil roepen', lachte Feun.

Ze schrokken en kropen dichter bij elkaar, Jante drukte haar baby tegen de borst en Brante legde haar handen beschermend rond haar gezwollen buik. Alleen Dagte, de nieuwe vrouw van Gorb en even wantrouwig als haar jager, zei: 'Ze is een vreemde, misschien wel een uitgestotene. Waarom zou ze anders alleen rondzwerven? Een vreemde met een wolf. We lijken wel gek om haar op te nemen.'

*

Wolf bleef inderdaad in de buurt van de stam rondzwerven; een grijze schim die geluidloos vergleed tussen de rotsen of door het hoge gras en de rietkraag bij de rivier. Wie hem zag, twijfelde eraan of het geen schaduw was geweest. Hij joeg ongetwijfeld om in leven te blijven, maar nooit vonden ze sporen of resten van zijn buit. Hij maakte de jagers zenuwachtig en de vrouwen hielden de kinderen dichter in de buurt, want iedereen was ervan overtuigd dat dit alleen de geest van een wolf kon zijn en daarvoor waren ze banger dan voor een hele roedel levende wolven. 's Nachts huilde hij op de kliffen vaak hartverscheurend en sommigen zwoeren dat ze zijn silhouet hadden gezien, scherp afgelijnd tegen de sterrenhemel. Het bloedstollende gehuil, rijzend en dalend op de wind, sterkte de stamleden nog in hun overtuiging.

En Mirre zelf bewoog zich ook als een schim tussen de jagers en hun vrouwen. Ze at en dronk en maakte zich nuttig met kleine karweitjes waarin ze erg handig bleek, maar sprak met niemand. De vrouwen voelden zich onwennig in haar nabijheid en de mannen meden haar blik, want als ze haar ogen opsloeg, smeulde daar een vuur.

Op de derde avond al lag haar vuurplaats er dood bij. Er werden verstolen blikken geworpen.

'Ze is weg', zei Feun. 'Naar haar wolf. Ik kan niet zeggen dat ik er kwaad om ben.'

'Nee,' zei Varn die het toevallig had opgemerkt, 'ze is met Pante onder de slaapvachten gekropen.'

Hij boog zich over Feun heen en streelde de goudglanzende huid van haar naakte schouder. Zijn hand gleed over haar fijne sleutelbeen vlinderzacht naar beneden en vond haar rechtopstaande borsten. Zijn ogen schitterden ondeugend.

'Eerst sliep ik met Feun, de dochter van Merrit, daarna met de medicijnvrouw van de rendierstam, nu zelfs met de sjamaan, maar onder de slaapvacht voel ik weinig verschil.'

Feun strekte zich behaaglijk uit en lachte, een diepe, blije lach waarmee ze al haar oude en nieuwe zorgen voorlopig wegspoelde.

De volgende dag sprak Ranager Mirre aan.

'Waar woont jouw stam?' vroeg hij streng.

Ze wees in de richting van de ondergaande zon en stak de vingers van één hand omhoog.

'Zoveel dagen.'

'Het zou kunnen', zei Raven twijfelend. 'We hebben in die richting nooit ver gejaagd.'

'Het zijn dan wel onze buren', zei Ranager. 'Net als de oerosstam in de andere richting. We zullen hen opzoeken en afspraken maken over de jachtgronden.'

Gorb snoof smalend.

'Afspraken! De jagers van de rendierstam volgen de kudden en maken buit waar ze die aantreffen. Sinds wanneer moeten we daarover afspraken maken?'

Toen Ranager zei: 'We zullen hen bezoeken', leek Mirre in elkaar te krimpen en haar grote ogen schenen donker van angst. Maar toen hij eraan toevoegde: 'En jij gaat mee als gids', knikte ze.

*

De vuren vlamden en de grot was vol beweging en geroep. Ook Kesse was druk bezig. Ze vond haar verantwoordelijkheid als medicijnvrouw erg groot. Telkens opnieuw controleerde ze haar voorraden en vroeg zich af of ze niets vergeten was. Een kruid dat ze tijdens de lange winter nodig zou kunnen hebben, een wortel, een zwam...

Ugur lachte dan plagend: 'Ik weet nog wat blaadjes van...'

'Houd op', riep ze. 'Je weet er niets van. Je bent een barbaar van de oerosstam!'

Brante zag hen bakkeleien en aarzelde. Kon ze op dit ogenblik echt naar Kesse toe? Ze hield haar handen tegen haar gezwollen buik gedrukt, ademde diep om zichzelf moed in te spreken en liep naar de wat afgelegen vuurplaats, waar het altijd geurde naar kruiden, naar zomer en wind, terwijl in de rest van de grot een bedompte lucht hing van rook en as en verbrand vlees.

Kesse keek op.

'Brante?'

Ze zag spatten gedroogd bloed op het onderbeen van de vrouw.

'Ach, Kesse, ik ben zo bang.'

In een flits begreep Kesse het.

'Je kind?'

Ze schikte wat droge, heerlijk geurende varens en legde er een vacht overheen. Kreunend ging Brante zitten.

'Ik ben bang dat ik ook dit kind verlies, Kesse. En Duran kijkt er zo naar uit. Toen de maan vol was en er kwam geen bloeding, heb ik een kerf gemaakt in een stok. En ook bij elke volgende maan. Ik heb de stok aan Feun getoond en zij zegt dat het nog veel te vroeg is. Ik heb ook nog maar pas beweging gevoeld.'

'Dit kind ook?' vroeg Kesse. 'Bedoel je...?'

'Ja. Tijdens onze grote tocht. Ik was pas zwanger toen we de gletsjergrot verlieten. Je weet hoe zwaar de lasten waren. Duran hielp me waar hij kon en vaak namen ook Tjorn en Ymir iets van me over. Toch heb ik een miskraam gekregen. Merrit is bij me gebleven tot ik sterk genoeg was om de stam weer in te halen.'

'Ik heb niet eens gemerkt...'

'Natuurlijk niet. Jij en Feun en Varn waren zo jong. Jullie zijn dat nog altijd. Voor jullie was de tocht één groot avontuur. Jullie droegen jullie lasten, liepen de hele dag onbezorgd door en sliepen 's nachts als marmotten.'

Ze kneep haar ogen dicht.

'En nu heb ik opnieuw bloed verloren.'

'Vandaag?'

'Ik wil dit kind niet verliezen', barstte ze uit.

'Rustig', zei Kesse. 'Ik ga een aftreksel voor je maken van braambladeren en gedroogde vlierbloesems. Dat is een uitstekend middel om je kind op te houden. Je drinkt er elke morgen en elke avond van. En verder...'

Ze zocht koortsachtig in haar geheugen.

'Er zijn dingen die je moet mijden. Venkel en salie en

meidoorn. En je mag absoluut geen smeerwortel of ganzen-
bloem.'

'Dat kan ik nooit onthouden', jammerde Brante.

'Dat hoeft ook niet. Ik kom elke dag wel een tijdje bij je zitten.
Als het winter wordt, zitten we hier toch vast. Je zult me op
den duur nog een lastpost gaan vinden.'

Brante kwam moeizaam recht.

'Ik zal Duran vragen dat hij een konijn voor je vangt.'

Kesse lachte dankbaar.

'O, en denk eraan: als jouw jager een stukje van de lever van
zijn buit meebrengt, dan eet je daar zeker niet van.'

Brante liep weg en Kesse hoorde haar zachtjes herhalen:

'Geen lever. Geen venkel, geen boerenwormkruid, geen... ach,
mijn arme hoofd.'

Kesse zocht Feun op. Ze vertelde welke kruiden ze had
aangeraden en welke absoluut verboden.

'Je doet het uitstekend', zei Feun. 'Maar als het je kan
geruststellen, dan loop ik zelf ook wel eens bij Brante langs.'

Toen keek ze Kesse aan met pretlichtjes in haar ogen.

'Jij en je jager gaan elke avond nogal tekeer onder de
slaapvachten. Ben jij nog niet zwanger?'

Kesse bloosde.

'Nee. Ugur vroeg het ook al. En jij?'

Feun lachte schaterend.

'Nee. Kun je je dat voorstellen, een zwangere sjamaan? Het
zou de mannen stof tot praten geven, een winter lang.'

Ze aarzelde.

'Hoewel... Ik wil Varn natuurlijk kinderen schenken. Niet
meteen, maar later.'

3

Ranager stelde de groep samen: Varn, Raven, Ugur, Gorb en Warre. Duran liet hij thuis nadat Kesse met hem gepraat had. Feun stuurde hij wel mee, omdat zij uiteindelijk Mirre gevonden had, maar zelf bleef hij bij de stam.

Ze waren stuk voor stuk jong en getraind en vorderden snel. 's Avonds liepen ze door tot het laatste daglicht verdwenen was en sloegen dan pas hun kamp op. 's Morgens vertrokken ze bij het eerste streepje licht aan de horizon.

Feun genoot van het lange ritmische lopen vlak achter Varn. Soms vertraagde ze om planten te onderzoeken die ze niet kende. Ze plukte de bladeren en groef de wortels uit om later uit te zoeken of ze geneeskrachtig waren. Daarna moest ze hollen om de groep weer in te halen. Ze moest dan telkens Mirre een duwtje geven om haar plaats in de rij weer in te nemen, want het meisje leek een voorkeur te hebben voor Varn.

De heuvels werden geleidelijk hoger en er waren steeds meer rotsformaties met ronde bulten. Af en toe wezen de jagers elkaar donkere openingen van grotten hoog in de rotswand, maar niet één keer was er een pad dat er naartoe leidde, zodat alleen vogels erbij konden komen. Aan de voet van een hoge klif vonden ze het karkas van een onlangs neergestorte gems.

Twee keer stootten ze op een snelstromende rivier. Misschien was het wel telkens dezelfde die in brede lussen tussen de heuvels slingerde. Ze moesten dan een eind stroomopwaarts lopen om een doorwaadbare plaats te vinden. Het viel hen op dat nergens met stenen een wad was aangelegd.

'Hoe ben je hier zelf overgekomen, Mirre?' vroeg Feun.

Ze wilde het meisje, dat er stil en mokkend bij liep, uit haar lusteloosheid halen.

'Zwemmend', zei ze.

Feun keek haar wantrouwig aan. Het water stroomde zo wild met draaikolken en stroomversnellingen dat ze met in elkaar gehaakte armen overstaken om niet meegesleurd te worden. Zelfs Warre, die de beste zwemmer van de stam was, zei dat hij het hier niet zou redden.

Op de ochtend van de vierde dag ging Mirre langzamer lopen. Ze moesten telkens weer op haar wachten en haar aanporren. Toen wees ze met gestrekte arm. Aan de voet van een rotswand gaapte een donkere grot.

'Woont daar je stam?' vroeg Feun.

Mirre sloeg alleen maar haar ogen neer.

Ze vonden het vreemd dat ze geen beweging zagen en gingen langzamer lopen, hun speren vaster omknellend.

'Ik vertrouw het niet', zei Raven. 'Misschien is het een hinderlaag.'

Ze loerden om zich heen, maar merkten nergens beweging.

'Er is geen rook', zei Varn. 'Er branden geen vuren.'

'Misschien stond er een wachter op de uitkijk en heeft hij ons gezien.'

Ze vormden een halve kring en naderden met gestrekte speren. Ze moesten daarvoor tussen groenblauwe alsemstruiken door. Toen sloeg hen een walgelijke geur tegemoet.

Raven snoof.

'Lijken', zei hij.

Toen herkenden ze allemaal de zoetige lijkengeur.

Ze vonden alleen maar doden: twee mannen, twee vrouwen en drie kinderen, twee zomerjongens en één onvolwassen meisje, allen met lang blauwzwart haar. Misschien was er ook nog een baby, maar dat viel niet meer uit te maken, want de lijken waren aangevreten en verkeerden in staat van ontbinding.

Ze waren geharde jagers, maar wendden allemaal het hoofd af bij zoveel gruwel. Ze wisten dat ze bij elke jacht zwaar gewond konden worden door een in het nauw gedreven roofdier of een gewonde prooi. Ze hadden vrienden gezien met gapende wonden, met uitpuilende ingewanden, met gebarsten schedel. Ze aanvaardden het als de onontkoombare gevaren van hun jagersleven, maar wat ze hier aantroffen was te afgrijselijk, te gruwelijk om te vatten. Welk ondier had hier zo vreselijk huisgehouden? Was het een holenbeer, een getergde leeuwin, een roedel razende wolven?

'Beestachtig', zei Varn. Hij vond er geen ander woord voor.

Ook Feun, die samen met Merrit vele soorten wonden had verzorgd, sloot haar ogen voor deze gruwel.

'En de rest van de stam?' vroeg Varn.

Mirre keek verwonderd.

'Er waren er niet meer.'

'Niet meer dan deze?'

Ze schudde het hoofd met opeengeklemde lippen.

'Waaraan denk jij dat ze gestorven zijn?' vroeg Feun.

Mirre haalde haar schouders op. De aanblik van de toegetakelde lijken leek haar weinig te raken. Ze wendde het hoofd niet af en sloeg haar ogen niet neer.

'Ik weet het niet', zei ze kortaf. 'Toen ze me uitsloten, leefden ze allemaal nog.'

'Geen beer of leeuw', zei Raven. 'Er zou minstens een van de volwassenen ontsnapt zijn.'

'Het kan alleen een ziekte geweest zijn', besliste Feun. 'Misschien wel de geest van de rode dood. Als ze geen bekwame medicijnvrouw hadden...'

De laagstaande zon brak even door de wolken en een brede straal viel naar binnen. In dat helle licht werd het schouwspel nog gruwelijker.

Raven wendde zijn blik af en floot toen scherp tussen zijn tanden. Hij raapte een speer op en toonde de punt, die glansde in het licht.

'Moet je dit zien. Gele hoornkiezel, rood dooraderd. Die is erg zeldzaam. En de punt is meesterlijk bewerkt!'

Ze zochten de andere speren bij elkaar. De punten ervan waren stuk voor stuk met groot vakmanschap geklopt. Bloedrode jaspis met helgroene aders. Diepzwarte obsidiaan. Kleurloze, doorzichtige opaal met een rosgele ader als een gevorkte bliksem.

'Het werk van een kunstenaar', zei Feun.

Ze keek Mirre vragend aan, maar die haalde onverschillig de schouders op.

'De mooiste speerpunten die ik ooit gezien heb', beaamde Varn. 'En dat zegt wat, jullie weten allemaal wat voor een vakman Frag is.'

Ze zagen andere wapens: dolken, bijlen, messen, allemaal even prachtig bewerkt.

'We nemen alles mee', zei Warre. 'Frag zal zijn ogen niet geloven, maar Ranager zal opgetogen zijn.'

'Nee', zei Feun. 'We laten ze liggen. Ze behoren hun toe. Ze hadden vast geen sjamaan en dan heeft niemand hun de weg naar de geestenwereld getoond. Ze zullen ook daar hun wapens heel erg nodig hebben.'

'Maar...' protesteerde Raven.

'Eentje dan', gaf Feun toe. 'Om Frag te overtuigen dat we niet overdrijven.'

Ze bukte zich en rommelde even in een ordeloze hoop stenen. 'En dit brok jaspis.' Ze wees.

'Er moet een vindplaats in de buurt zijn', zei Warre. 'Een onvoorstelbaar rijke vindplaats. Misschien komt Frag volgende zomer wel hierheen om de plek te zoeken.'

Ze lachten allemaal, want ze kenden Frags beroepstrots en wisten hoe nieuwsgierig hij zou zijn.

Toen ze terugliepen en nog even achterom keken, zei Ugur: 'Geen stam. Waarschijnlijk waren het twee broers die om een of andere reden uit hun stam waren weggevlucht.'

'Of verstoten', zei Varn.

'Of verstoten en die ergens twee vrouwen hadden opgedoken en zich met hen in deze grot hadden gevestigd.'

'Een groep zonder medicijnvrouw, zonder sjamaan die hen tegen de geesten kon beschermen', zei Feun. 'Toen kwade geesten hen bezochten, zijn ze omgekomen als wolvenjongen die hun moeder verloren.'

Voor het eerst sinds ze bij de grot waren aangekomen, leek Mirre belangstelling te tonen. Wolvenjongen, besefte Feun. Voor haar lijkt het wel een toverwoord.

'De kinderen zouden paren', ging Ugur verder. 'De meisjes zouden kinderen krijgen en na een paar generaties zou er een kleine stam zijn ontstaan. Als ze het overleefd hadden. Nu blijft alleen Mirre.'

Ze keken haar allemaal aan, maar ze wendde met stuurs gezicht het hoofd af.

*

Het was een zwijgende rij die terugkeerde. Ze liepen trager, want door hun hoofd spookten nog de verschrikkelijke beelden en die maakten hun benen zwaar en loom.

Bij hun eerste kampvuur, bij een kleine bron en een rietkraag die voldoende brandstof leverde voor een uitdagend groot vuur – alsof ze daarmee de verschrikkingen wilden verjagen – onder een dreigende hemel met zwarte wolken die langs de maan voortjoegen, zei Feun: 'Ik weet dat je er niet graag over praat, Mirre, maar het moet. Waarom werd je door je familie uitgestoten?'

Het meisje staarde zwijgend in het vuur. Haar ogen, donker als de nacht met daarin een sluimerend vuur, volgden de oranje en gele vlammetjes die over de takken wipten.

'Als je bij ons wilt wonen, moet het, Mirre. Ranager zal het niet anders willen. Je moet dat begrijpen.'

'Het was Janke', zei ze, zo zacht dat haar stem nauwelijks boven het knetteren van het vuur uitkwam.

'Hij kwam 's nachts bij me toen ik nog een onvolwassen meisje was. Een kind. Het... was vreselijk.'

De mannen zaten zwijgend met opgetrokken schouders, hun jakken dicht om zich heen, hun kappen over het hoofd. Maar ze luisterden wel.

'Je vader?' vroeg Feun. Ze herinnerde zich de twee mannen-lichamen.

'Dat weet ik niet. Zola was mijn moeder, maar wie van beide mannen mijn vader was...'

'En dan heeft hij je verstoten. Liet je moeder dat toe?'

'Hij haatte me.'

Haar stem steeg, een ijle, dunne stem als het piepen van een vogeltje dat uit zijn nest was gevallen. Klagend, huilend, scheldend.

'Ik moest hem zijn gang laten gaan, omdat hij sterker was dan ik, een grote, beresterke bruut.'

Feun huiverde. Er waren beelden die voor eeuwig achter haar oogleden gebrand stonden. Wuizel, die zich hijgend, graaiend en kwijlend op haar stortte, Grouw, de oerosjager, die dronken voor haar stond, zijn flap weggeslagen, zijn kloppende lid naar haar toe gestoken. De beelden waren zo levensecht dat ze de verlammende angst voelde in al haar botten. Varn keek op en wierp haar een bemoedigende blik toe. Hij begrijpt het, schoot het door haar heen, hij is mijn jager, hij kent mijn verschrikkelijkste nachtmerries en wil me steunen. In haar borst gloeide een diepe warmte.

'Eerst verzette ik me en dat leek hem nog meer op te winden. Toen zei Zola: "Laat hem zijn gang gaan, laat je lichaam in de grot, maar zweef met je geest naar de sterren." Ik werd een plant die de graaiende handen lijdzaam duldde en zich achteraf weer oprichtte. Vanaf dat ogenblik werd hij nog gewelddadiger en op een avond heeft hij me naar buiten gestampt. 's Morgens heeft Zola me een jak gebracht, mijn speer en mijn slinger. Meer kon ze niet voor me doen. Hij vervloekte me terwijl ik wegliep. 's Avonds is het soms nog alsof ik die stem hoor, de schunnige woorden vol haat en dreiging.'

Feun sloeg haar arm om Mirres schouders en trok het meisje dicht tegen zich aan. Ze voelde haar magere lijfje schokken.

'Twee dagen later vond ik Wolf, helemaal alleen in zijn nest. Ik had medelijden met hem. Hij was in de steek gelaten, alleen op de wereld, net als ik. Ik ontfermde me over hem. Ik wikkelde hem in mijn jak en voerde hem vlees dat ik voor hem kauwde. Ik denk dat hij me sindsdien als zijn moeder beschouwt. Hij heeft nooit een eigen wolvenroedel gekend.'

'Zo ging het dus', zei Feun en de anderen knikten.

Ze werden gewekt door een snijdende ijskoude wind. De lucht zat vol dreigende torenhoge wolken waar ze angstig naar keken.

De storm overviel hen toen ze pas hadden opgebroken. De regen striemde hun gezichten als snijdende ijskristallen, doorweekte hen tot op het bot en maakte de grond tussen de rotsen drassig, zodat ze telkens uitgleden. Ze liepen voorovergebogen, worstelend tegen de aangierende stormwind die aan hen rukte en hen bijna omverblies. De rivier was een wilde bergstroom geworden met hoge, witte schuimkoppen.

Ze stonden aan de oever en keken elkaar verslagen aan. Ze wisten dat ze nooit de overkant zouden bereiken.

Ze zochten een rotswand waar ze enigszins beschut waren tegen de wind, maar de regen bleef als een razende waterval op hen neerstorten.

'Misschien wordt deze storm gezonden door de geesten van de grot', huiverde Ugur. Zijn ogen waren donker van panische angst. 'Misschien zijn ze boos dat we ze gestoord hebben.'

'Ach, misschien gaat de storm tegen de avond liggen', zei Warre. 'Maar de rivier zal nog dagenlang even woest blijven. Daar komen we nooit overheen.'

Feun besefte dat ze dit onvoorstelbare geweld niet eindeloos konden ondergaan.

'Ik wil een vuur aanleggen', zei ze.

Ze keken haar ongelovig aan.

'In deze storm?'

Was hun sjamaan gek geworden?

Maar Feun wees op een smalle spleet in de rots achter varens en frambozenhout. Dat beschutte plekje was droog gebleven en in de luwte lagen bijeen gewaaide droge bladeren en takjes. Varn moest vele keren zijn nat geworden vuursteen en pyriet tegen elkaar slaan, maar net toen hij het wilde opgeven, sprong een vonkje in de bladeren en even later kringelde het eerste dunne rookpluimpje omhoog. Toen spatten gele vonkjes tussen de zwarte walm naar boven.

Feun zocht in haar waterdichte kruidenzakje en haalde er een reepje gedroogde paddenstoel uit. Ze brak er een rafelig stukje af en haalde dat drie keer door de rook van het vuur. Eén keer voor de geest van de neerstortende regen. Eén keer voor de geest van de huilende wind. Een derde keer, langer nu, tot ze haar vingers bijna brandde, voor de machtigste van de geesten, die van de furieuze storm.

Ze stak het stukje paddenstoel in haar mond, sloot haar lippen en kauwde met langzame bewegingen. De bittere smaak brandde op haar tong. Haar pupillen verwijdden zich, haar hoofd werd ijl, het leek of ze zweefde in een onaantastbare stilte. Ze glimlachte. Haar vrienden, de sterren die hoog boven de stormwolken verborgen bleven, zonden haar die rust.

Toen kleedde ze zich langzaam uit en overhandigde haar kleren aan Varn. Zo, naakt in de gutsende regen, staarde ze een tijdlang met starre blik in het hart van het vuur.

Zachtjes zong ze: 'Geest van de wind, geest van de regen, geest van de storm...'

Haar stem klonk vreemd hees, haar woorden verwaaiden op de windvlagen.

'Geest van de wind...'

Haar handen vormden gracieuze gebaren in de lucht. Haar

vingers kronkelden als slangetjes. Met getuite lippen blies ze zachtjes over het vuur. De vlammetjes kregen gele en oranje punten als krokuskopjes en zakten dan in elkaar.

De anderen stonden roerloos, bang om de betovering te verbreken die ondanks de neerstromende regen als een glanzende aura om haar heen hing.

Feun keerde zich langzaam om, haar ogen gericht op de verte. Ze ving regen in de kom van haar handen en gooide de druppels met een wijd gebaar omhoog.

'Geest van de regen, geest van de zachte lenteregen, geest van de wilde herfstregen...'

Ze plukte enkele kletsnatte alsemtakjes en wierp ze in het vuur. Sterk geurende stoom steeg omhoog van het sissende hout. Ze ademde diep door haar neus, vier keer voor elke windrichting. Haar longen brandden, maar ze voelde de rust in haar hoofd als mist die een vallei vult.

'Machtige geest van de storm...'

Ze stapte achteruit in de gutsende regen. De stralen kletterden op haar hoofd, haar schouders, haar rechte borsten. Het water stroomde over haar buik langs haar schoot over haar dijen. Ze strekte haar armen naar de hemel en zong een lied van alleen maar klanken. Na een tijdje voelde ze een goedkeurende aanwezigheid diep in zichzelf opstijgen. Ze ademde opgelucht.

'Ik voel je kracht,' fluisterde ze, 'je oneindige macht. Ik wil me daar niet tegen verzetten, maar voor mijn vrienden vraag ik uitstel tot we een verblijf voor de volgende nacht hebben gevonden.'

Even plotseling als hij gekomen was hield de regen op, de wind ging liggen.

Feun zakte in elkaar. Niemand durfde haar aan te raken.

'Ze heeft de storm bedwongen', zei Raven eerbiedig. 'De hevigste storm die ik ooit heb meegemaakt ging liggen als een mak kind, omdat zij het hem beval.'

Zijn stem klonk onvast van diep ontzag.

En Ugur zei met evenveel respect: 'Ze heeft met de geesten gepraat zoals een vrouw praat met haar jager. Ze is een groot magiër.'

In Mirres donkere ogen lag dierlijke angst. Ze had duidelijk nooit eerder beseft over welke magische krachten Feun beschikte en kromp nu in elkaar.

Toen stapte Varn vooruit. Hij hielp Feun overeind en trok het kletsnatte jak over haar hoofd.

De zon brak door de verwaaiende wolken en koesterde hen met haar stralen.

Feun glimlachte flauw.

'De rivier... Ik zou ook met de geest van de rivier kunnen praten, maar...'

'Ik heb gelogen', zei Mirre schuw. 'Ik ben er niet over gezwommen. Ik zou dat niet eens kunnen. Een halve dagreis verder verandert de stroom van richting, zodat we niet hoeven over te steken.'

Ze volgden de oever. De wind en de zon droogden hun kleren. Tegen de avond vonden ze achter hoge vuurdoornstruiken een hol dat een beer onder een overhangende rots had uitgegraven. Ze gingen liggen, dicht bij elkaar, Feun weggedoken in Varns armen.

's Nachts kletterde opnieuw de regen, maar tegen de ochtend was de hemel schoongewassen.

*

Ze brachten verslag uit bij de stam en de vrouwen ontfermden zich vol medelijden over Mirre. Maar enkele avonden later, toen de mannen bij het vuur zaten en zelfs Mirka zweeg omdat de hemel vol geheimzinnig sterrengefluister was, zei Warre: 'Ze deugt niet. Ranager heeft haar een eigen plaats gegeven, maar toch kruipt ze bij alle jonge mannen onder de vachten. Zelfs overdag zoekt ze hen op.'

'Jonge meisjes die nog geen verbintenis hebben gesloten, hebben dat recht', berispte de leider hem. Maar zijn stem klonk mat. Hij wist zelf dat er iets mis was.

'Dat weet ik. Maar heb jij ooit geweten dat Feun of Kesse of Ymir of Aske...?'

'Ho, ho!'

Ranager hief afwerend zijn handen.

'Je moet onze jonge vrouwen niet allemaal opnoemen. Misschien was het bij de stam van Mirre wel gewoonte.'

'Haar stam? We hebben ondertussen ontdekt dat die uit twee families bestond. Een van de mannen verkrachtte haar. Veel keuze zal ze dus niet gehad hebben.'

Gorb lachte ruw.

'Dan haalt ze de schade hier wel in.'

Frag legde het brok jaspis neer dat hij vol bewondering had onderzocht om het op de beste manier te splijten.

'Warre heeft gelijk', zei hij. 'Ze is manziek.'

'Gisteren hebben Oss en Pante gevochten', zei Bran. 'Het was een spel, zeiden ze achteraf, maar Oss heeft een gebroken neus en Pante een dichtgeslagen oog. De nacht ervoor heeft Mirre met Oss geslapen en de nacht daarvoor met Pante.'

'Ook de vrouwen praten erover', zei Warre. 'Vandaag nog vroeg Aske of ik Mirre eigenlijk knap vind.'

Ranager knikte. Met haar expressieve gezicht was Mirre een

uitdagende schoonheid. Tegelijk kon ze ontwapenend hulpeloos kijken. Weinig jagers bleven daar onverschillig voor.

'Ik zal erover nadenken.'

Hij maakte een gebaar van onmacht.

'Hoewel er weinig is wat we kunnen doen. We kunnen haar niet
terugsturen. Van haar familie is iedereen dood. We kunnen
haar ook niet verbannen, ze heeft geen enkele stamwet
overtreden. Misschien moet Feun maar eens met haar praten.'

'Feun?' vroeg Warre. Hij ademde diep. 'Ik denk niet dat dat
een goed idee is, leider. Heb je al eens gezien hoe Mirre naar
Varn kijkt?'

Toen zwegen ze allemaal.

De lucht was egaal grijs en de avond viel snel. De mannen
zochten hun vuurplaatsen op. Varn liep naar de uithoek van
het plateau zodat hij in de sjamanengrot kon kijken. Tegen de
zoldering hing een zacht oranje schijn, wat betekende dat
Feun de sintels nog niet had afgedekt.

Wrevelig klemde hij zijn tanden op elkaar. Een halve dag zat ze
daar nu al, eerst met Kanter, daarna in haar eentje. Dat duurde
nu al dagen. Elke avond werd het later vooraleer ze naast hem
schoof en meestal draaide ze hem meteen haar rug toe.

Wrokkig liep hij terug en kroop onder de slaapvacht. Hij trok
de vacht tot onder zijn kin en wroette zichzelf dieper in de
hoop dorre bladeren. Een schaduw gleed naast hem.

Opgelucht dacht hij: ze heeft me gezien en is meteen hierheen
gekomen. Toen hoorde hij gefluister.

'Ik heb elke avond naar jouw vuurplaats gekeken. Ik hoopte
dat je mij een teken zou geven.'

'Mirre!'

Ze had een vreemd accent, dat nog versterkt werd door haar
hese stem. Voor anderen zouden haar woorden misschien

onweerstaanbaar hebben geklonken, maar Varn sprong op alsof hij door een schorpioen was gestoken.

'Je vergist je. Er is hier geen plaats voor jou.'

Ze aarzelde, maar sloop dan weg, een schaduw die versmolt met het donker van de grot.

Om hen heen was opgewonden gemompel.

Varn lag nog lang met grote ogen naar het plafond te staren. Hij wist niet waar ze naartoe was gegaan, maar hij herinnerde zich Warres woorden. *Heb je al eens gezien hoe Mirre naar Varn kijkt?* Waarom kon Feun niet zorgen dat ze hier was? Ze had het toch beloofd toen ze aanvaardde sjamaan te worden! Tegelijk besefte hij dat er krachten waren waar hij nooit tegenop zou kunnen. Krachten waar zelfs een sjamaan zich niet tegen kon verzetten.

Feun zat ondertussen in de sjamanengrot. Ze had Kanter weggestuurd om alleen te zijn. Alleen met de onrust en de angst diep in haar binnenste. Het bedwingen van de storm had haar voor het eerst echt doen beseffen over welke bovennatuurlijke krachten een magiër beschikte. Ze begon Durandee te begrijpen die alleen in de stilte van haar hut zat en niet deelnam aan het dagelijkse stamleven. Was dat ook haar lot? Maar ze had Varn lief met elke vezel van haar lijf en wilde bij hem zijn.

Ze stond op, dekte de sintels af met de as van gisteren en ging naar Varn toe. Misschien kon ze al die verwarrende gedachten maar het best dicht tegen hem aan van zich afzetten.

*

En elke nacht huilde de wolf zoals alleen een wolf huilen kan. Bloedstollend, met langgerekte halen die van de kliffen naar de hemel stegen. Al wie het hoorde voelde zijn nekharen overeind staan. De vrouwen trokken hun kinderen dichter tegen zich aan en de mannen namen zich voor de wolf de volgende dag op te sporen en definitief neer te leggen. Maar de volgende dag liepen de sporen onontwarbaar door elkaar en het dier was zo sluw zich overdag niet te laten zien of horen. 's Nachts was hij er weer, hoog op de kliffen, een donkere, huiveringwekkende schim, scherp afgetekend tegen de nachthemel.

De vrouwen morden en eisten van Ranager dat hij het probleem oploste.

Aske zei: 'Als het waar is wat ze zeggen, dan kan Mirre hem roepen zoals een moeder haar kind roept. Laat ze dat doen, dan kunnen de jagers het werk afmaken.'

'En dan kunnen we 's nachts rustig slapen achter het vuur dat we voor de grotingang aanleggen', zei Ymir.

Mirre grauwde hen toe met ontblote tanden alsof ze zelf bij de wolven had gewoond. Met flitsende ogen, haar vingers gekromd als klauwen, snauwde ze: 'Wolf heeft nog niemand kwaad gedaan. Hij is van mij en jullie blijven van hem af.'

Toen verdween Margente. Ze was het dochtertje van Marketa die zelf de dochter was van Frag. Ze was een erg bijdehand meisje, dat hele dagen bij Frag kon zitten kijken. Daar werd door de jagers veel om gegrinnikt.

'Daar zit je opvolger, Frag', zeiden ze dan. 'Zij wordt de eerste vrouwelijke steenklopper van de rendierstam. Je kunt er trots op zijn.'

En inderdaad, vaak nam Margente een kloesteen in haar kleine hand en sloeg er schilfers van een verloren brok mee af. En plotseling was ze verdwenen.

Eerst was Marketa, haar moeder, niet eens ongerust.

Kinderen dwaalden door de grot en de omgeving en kwamen wel opdagen als ze honger hadden. Maar toen de vuren hoger werden gestookt, het water in de kookzakken borrelde en de geur van kruiden en vlees de grot vulde, ging ze op zoek. Ze liep langs alle vuurplaatsen, maar niemand had Margente gezien. Bij elke familie werd Marketa ongeruster en die onrust stak ook de anderen aan. De vrouwen riepen om beurten en de kinderen zochten tot in de kleinste uithoeken van de grot. 'Ze was in de voorraadgrot', wisten een paar van de grotere meisjes. 'We hebben tikkertje gespeeld, maar op het einde...' Ze twijfelden. Was Margente er toen nog? Was ze met hen mee teruggelopen toen het te donker werd voor spelletjes? Of was ze in een hoekje weggekropen?

'Ze is daar vast in slaap gevallen', zei Kesse. 'Kom op, Marketa, we gaan haar halen.'

Anke en Ymir liepen mee, maar ook in de voorraadgrot was Margente niet.

'De sjamanengrot', zei Kesse.

De anderen aarzelden, zelfs Marketa, maar Kesse lachte hun bezorgdheid weg.

'Feun is dol op kinderen. Als Margente daar naartoe is gelopen, dan zijn ze de tijd vast vergeten.'

Feun en Kanter keken verbaasd op.

'Margente? Nee. Er is de hele dag niemand geweest. We waren net bezig het vuur af te dekken...'

Ze hield abrupt op. Dichtbij, in het schemerdonker, huilde een wolf.

'Margente!'

Marketa's kreet was vol wanhoop.

De jagers liepen naar buiten en doorzochten het plateau en het pad naar de rivier, maar er waren zoveel sporen dat het

onbegonnen werk was. Ze ontstaken fakkels, rosse en gif-
groene bloemen in de snel invallende nacht, en zochten langs
de rivieroever en tot op de kliffen. Toen moesten ze het
zoeken opgeven.

En Marketa herhaalde tegen iedereen: 'Ik heb mijn kind
moeten afgeven aan de geest van de rode dood. Het mag niet
dat de geesten nu ook Margente...'

Dan stopte ze om het vreselijke niet te hoeven uitspreken.

Na een slapeloze nacht ging de nieuwe dag open als een witte
huivering.

Ze hervatten hun zoektocht, hoewel veel jagers mompelden
dat het nutteloos was, dat de wolf het kind had meegesleurd
en dat ze het nooit zouden terugvinden.

Het was uiteindelijk Ugur die Margente vond onder een
doornstruik, waar de wind zoveel dode bladeren had
bijeengeblazen dat haar lichaampje nauwelijks zichtbaar was.

Ze lag in elkaar gekrompen, haar armen stijf om zich heen
geslagen. Ze had enkel wat schrammen van de doornen, maar
ze zag blauw als ijs.

Ugur bracht haar rennend op zijn gestrekte armen naar de grot.
'Laat haar leven', herhaalde hij voortdurend. 'Geesten van de
nacht, laat haar leven!'

Ze dromden om hem heen en hij legde haar voorzichtig neer
op een stapel vachten.

Feun ratelde haar bevelen.

'Kleed haar uit. Warme vachten van muskusossen bij het
vuur. Wrijf daarmee haar hele lijf en haar benen en armen en
handen en voeten. Kesse, het dollekervelsap.'

Ze wees met haar hoofd.

'Vlug, het zit in de holle geweitak met de kurken dop.'

Verschrikt keek Kesse op.

'Dollekervel is giftig, Feun!'

'Doe één druppel op haar tong. Nu!'

Zelf wreef ze en wreef ze met de moed der wanhoop, vechtend om dit kleine leven dat nog slechts flakkerde als een stervende pit in een vetlampje. Met haar mond blies ze de geest van haar eigen adem in de longen van het meisje.

'Ademt ze?' vroeg Marketa, die bij hen neerknielde en Margentes hoofd in haar schoot bedde. 'Ademt ze?'

Feun legde haar oor op de magere borstkas van het meisje. De huid zag grijsblauw en voelde ijskoud.

Toch hoorde ze tussen al het rumoer en geschreeuw om zich heen een zwakke tik.

Tik.

Een pauze, zo lang dat ze dacht zich vergist te hebben. Ze ademde ontgoocheld uit, ging rechtop zitten en schudde het hoofd.

'Nee', gilde Marketa. 'Nee Feun, ze leeft, ik weet het zeker.'

Ze gooide zich over haar dochtertje heen. Voorzichtig, vinger voor vinger, maakten Kesse en Feun haar handen los en trokken haar weg.

Opnieuw knielde Feun neer en beluisterde Margentes borstkas. Daar was het weer.

Tik.

Flauwer nog dan eerst, alsof de geest van het meisje op hetzelfde ogenblik weggleed.

Ze nam de geweitak, trok de dop eruit, bevochtigde haar vinger met het bruingroene sap en streek een dunne streep op Margentes lippen.

Tik.

De wimpers van het meisje bewogen, licht alsof de vleugels van een vlinder er overheen waren gestreken.

Opluchting overspoelde Feun. Ze hief het hoofd zodat het licht van het vuur vol op haar verhitte gezicht viel.

'Ze leeft', zei ze.

En alle anderen herhaalden het: 'Ze leeft!'

Er was gelach en geroep en uitbundige vrolijkheid, maar Ranager zei: 'Ze leeft, dankzij Feun en Kesse, maar ook dankzij Ugur die haar nog net op tijd gevonden heeft.'

'Leg warme vachten om haar heen en blijf dat de hele dag doen', zei Feun.

Marketa kwam overeind en legde haar hand op de schouder van Ugur die er verlegen bij stond.

'Ik sta voor altijd bij jou in de schuld, jager', zei ze.

En Frag zei: 'Ik zal een speerpunt voor je kloppen zoals ze er in jouw stam nooit een hebben gezien.'

Feun gaf Kesse een teken.

'Maak een aftreksel van papaverzaden. Geef Margente enkele druppels zodat ze rustig slaapt en geef ook een kommetje aan Marketa.'

Toen drong Gorb zich vooruit.

Met gestrekte arm wees hij naar Mirre.

'Het is allemaal jouw schuld', zei hij. 'Van jou en die wolf van je.'

Ze sprong op hem toe met klauwende handen, maar Varn en Ugur vingen haar op.

'Stop daarmee, Gorb', zei Varn. 'De wolf heeft hier niets mee te maken.'

Maar het was wel duidelijk dat velen daar anders over dachten.

4

De winter bleef ongewoon lang uit.

De bomen in de bosjes verderop verloren hun bladeren en het gras op de steppe werd bruin en verdorde, maar elke middag opnieuw woei de wind uit de richting van de middagzon en was de lucht zacht als op een voorjaarsdag.

De bundels gedroogd riet die bij vriesweer voor de ingang van de grot werden gelegd als bescherming tegen de hevigste kou, lagen nog ongebruikt bij de voorraadgrot. Er woonden woelmuizen in en de kinderen hadden grote pret bij het vangen ervan.

Er werd over gefluisterd, eerst door de vrouwen die door het verzamelen van zaden, bessen en noten de gang van de seizoenen van nabij volgden.

Mirka was de eerste die er in de jagersvergadering over begon. 'Ik herinner me vele jachten', zei hij.

Hij plukte aan zijn baard en de mannen gingen gemakkelijker zitten, want ze verwachtten een van zijn spannende verhalen. Maar Mirka somde de prooien op waarop ze hadden gejaagd en alle jagers zagen ze diep in hun hoofd over de toendra en de steppe draven. Gracieuze paarden die de stilte van de dag vrolijk stuk hinnikten. Lichtvoetige antilopen. Trotse rendieren. Schuwe, bliksemsnelle herten. Zware, ruige bizons die met gebogen koppen en broeierige ogen hun vijanden opwachtten.

Ze knikten en hun handen omknelden de speerschachten die naast hen lagen nog steviger.

'Veel soorten trekken in het voorjaar. Ze volgen een vaste route, elke generatie opnieuw. En in het najaar trekken ze de andere kant op. Onze jagers kennen hun paden, zelfs hier in deze steppe die nieuw voor hen is. Ook dit jaar zijn de kudden langsgetrokken en de jagers hebben grote buit gemaakt, groter dan de oudsten van de stam zich kunnen herinneren. Nu wachten we op de sneeuw en de vrieskou, maar die komen niet.'

En Raven zei: 'Het klopt. Het land en de dieren volgen de eeuwige gang van de seizoenen. Alles komt en gaat en keert weer terug.'

'Misschien reikt de geest van de winter niet tot hier', zei Warre.

Enkele jagers bromden instemmend. Ze waren zo ver van de gletsjergrotten weggetrokken – zelfs de herinnering eraan verbleekte – dat alles in dit land van overvloed wel eens verschillend zou kunnen zijn. Misschien hadden ze de geesten van ijs en sneeuw wel definitief achter zich gelaten.

'Toch wel', zei Ugur. 'Vorige winter was het oeroskamp twee manen lang volledig ingesneeuwd. Met schouderbladen van bizons moesten we de sneeuw wegscheppen om paden vrij te maken van de onderkomens naar de voorraadgrot. Meer dan één hut is ingestort onder het gewicht van de sneeuw, en het ijs van de rivier was zo dik dat we het niet eens stuk konden hakken om bij de vissen te komen die eronder gevangen-zaten.'

Hij schraapte zijn keel, want zijn stem was schor nu hij voor de eerste keer het woord nam op een mannenvergadering van de rendierstam. Hij aarzelde opnieuw.

'Maar misschien... ontbreekt er nog één jacht.'

Gorb lachte misprijzend en Bran en Gart keken spottend om zich heen. Wat verbeeldde die vreemdeling die pas zijn mannenspeer had gekregen zich wel! Maar bij de andere jagers klonk opgewonden gemompel, want de meesten begrepen best wat hij bedoelde.

'Nog één jacht?' vroeg Varn met gretige stem.

'De oerosjagers sloten elke zomer af met een jacht op de mammoets', zei Ugur. 'Daarna kwam de geest van de winter.'

'Moeten wij in de leer gaan bij de oerosjagers?' vroeg Gorb minachtend. 'Zijn wij geen jagers van de fiere rendierstam? Gaat een vreemde luis die een maan geleden nog een zomerjongen was, ons vertellen welke jachten we moeten organiseren?'

Hij zag eruit als een opgeblazen kikker, dacht Varn. IJdel, verwaand en aartsdom.

Ranager hief het hoofd en keek de kring rond. Hij zag vele ogen glanzen bij de gedachte aan een laatste grote en opwindende jacht. Hij kon alleen maar knikken. Misschien moest de stam inderdaad de geest van de mammoet trotseren om de gang van de seizoenen niet te storen.

Van dat ogenblik af heerste er grote opwinding in het kamp en werd door de jagers alleen nog maar over de mammoetjacht gepraat.

Ranager sprak er Feun over aan.

'Ik krijg het niet uit hun hoofd gepraat.'

Feun wist dat de jacht niet noodzakelijk was. De voorraadkuilen, uitgegraven tot op de bevroren ondergrond, waren rijkelijk gevuld en de vrouwen hadden grote voorraden noten, kastanjes, graszaden en wortels aangelegd, zodat de stam voor het eerst sinds lang onbekommerd de winter kon doorkomen. Kesse had veel bundels geneeskrachtige kruiden verzameld en die in stille, vertrouwelijke dagen samen met Feun geordend. De vleermuizen waren verjaagd en de kinderen speelden in de voorraadgrot om muizen en eekhoorns en ander ongedierte op afstand te houden. 's Avonds werden er gloeiende sintels voor de ingang gelegd. Maar ze wist ook dat een mammoetjacht een prestigieuze gebeurtenis was die geen jager zou willen missen en dat het eenvoudig was hun hoofden op hol te brengen.

'Het is alsof de geesten zelf het hen in hun slaap hebben ingeblazen. Dat het gevaarlijk is doordat de mammoets in deze periode paren, willen ze niet eens weten. Als ik daarover begin, lachen ze het weg en ze bekijken me alsof ik een zeurende angsthaas ben.'

Hij zuchtte.

'Je zult een ceremonie moeten houden, sjamaan, voor een mammoetjacht. Ik weet dat het nieuw voor je is, maar je hebt bewezen dat je het aankunt. Je zult er al je gaven voor nodig hebben, want ze zal goed moeten zijn.'

In haar hoofd zag Feun de magische gang achter de sjamanengrot en de wand met de uitstulping. Toen wist ze precies wat ze moest doen.

'Het is in orde, leider. Geef me even de tijd, dan zal ik de mammoets naar de jagers lokken.'

Ze haalde meteen Kanter op, die bij de vuurplaats van Kesse zat en haar hielp bij het drogen van pasgeplukte kruiden. Ondertussen praatte hij met Ugur, want hij was erg gesteld op de jonge jager en hoorde hem vaak uit over Durandee, de machtige magiër van de oerossstam.

'Niet opnieuw', protesteerde hij, toen Feun hem vertelde wat ze wilde doen. 'Ik heb nog altijd nachtmerries van onze vorige tocht.'

'Jawel. Je moet me helpen. Ik heb fakkels nodig. Kommen met gele, bruine en rode oker. Verpulverde houtskool. Sap van verdroogde bramen en pulp van de alruinwortel...'

Hij greep zijn hoofd vast met beide handen.

'Geel en rood en bruin en blauw!'

Zijn stem klonk verontwaardigd.

'Volstaan de zwarte merktekens dan niet? Heb ik daarvoor doodsangsten uitgestaan rondscharrelend in die mollengang om nu...'

Hij stikte haast in zijn woorden.

Feun lachte.

'Als je het de vorige keer overleefd hebt, zal het nu ook wel meevallen. Misschien wen je er zelfs aan.'

Met klaaglijk gezicht wendde Kanter zich tot Ugur.

'Wennen, zegt ze. Wen jij aan een leeuw die met zijn klauwen naar je uithaalt? Aan een paard dat met zijn hoeven naar je trapt, terwijl jij weerloos op de grond ligt. Zo voel ik me in die gang. Maar daar zijn het geen leeuwen of paarden die je bedreigen. Daartegen kun je je verdedigen. Het zijn geesten die je overal in het aardedonker om je heen voelt. Tegen hen ben je weerloos als een pasgeborene.'

Vlug maakte hij het teken met gespreide vingers om geesten af te weren.

'En nu kom je mee', zei Feun streng. 'Die mollengang waarover jij het zo oneerbiedig hebt, zou wel eens de ingang van de Moeder zelf kunnen zijn!'

Hij werd lijkbleek, zijn ogen puilden uit hun kassen, zijn kaak bibberde.

'De... de ingang... de Moeder...'

'Opschieten nu!'

Ze pletten, persten en mengden tot Feun meende dat ze van elke kleur genoeg verf zou hebben.

Opnieuw nam ze rustig al haar voorzorgen om de gang zonder angst te kunnen betreden. Meer fakkels dan ze ooit nodig zouden hebben. Die bundel droeg de nog altijd bevende Kanter op zijn gestrekte armen. Vuursteen, pyriet en tondel voor als de fakkel zou doven. Geen voedsel, wel water in een geprepareerde en dichtgesnoerde koeienmaag. Bundels bijeengesnoerde en kortgehakte paardenharen als borstels die ze zelf had bedacht en waarmee ze een halve dag had geëxperimenteerd waardoor ze helemaal onder de oker was komen te zitten.

Ze klemde haar tanden stevig op elkaar en zette die eerste benauwende stap, die plotse overgang van de schemering naar het aardedonker. Daarna ging het beter. Alsof ik er al aan wen, flitste het met een vleugje humor door haar hoofd. De fakkel walmde, maar zijn rosse licht weerkaatste op de glanzende wanden en wierp daar angstaanjagende schaduwen.

Kanter volgde zo dicht dat hij struikelend bijna op haar hielen trapte.

'Pas eens op, leerling-sjamaan!'

Ze kwamen langs de plaats waar de zoldering zo laag was dat ze er op handen en knieën onderdoor moesten kruipen, en daarna in de ruimte waaruit drie gangen vertrokken. Toen bereikten ze de wand met de vreemde uitstulping, donker en glanzend als een roerloze waterspiegel en glad als ijs.

Feun hief de brandende fakkel, ervoor zorgend dat geen roet de wand vervuilde. Ze haalde opgelucht adem. Hij was perfect.

'We zijn er, Kanter. Als jij nu de kommen haalt, de bruine en de zwarte verf eerst...

'Wat?! In mijn eentje?'

Als Feun hem had gevraagd van de kliffen te springen, had hij niet meer kunnen schrikken.

'Al goed. Je kunt een fakkel meenemen, maar als je één druppel verf morst, dan laat ik Mirre haar wolf roepen. Hij zal wel uitgehongerd zijn. Komaan, leerling-sjamaan, ik kan geen eeuwigheid wachten.'

Ze hield een tweede fakkel in de vlam en terwijl Kanter mopperend en klappertandend terugliep, zocht ze een plaats waar ze haar fakkel in een spleet kon vastzetten.

Ze ging zitten met gekruiste benen en wachtte tot de beelden in haar hoofd een vaste vorm aannamen.

Toen Kanter terugkwam, hijgend en voortdurend achteromkijkend alsof de geest van de dood zelf hem op de hielen zat, kon ze eindelijk aan de slag.

Ze vergat de aanwezigheid van Kanter, de ondoordringbare duisternis, de enorme massa rots boven haar hoofd. Ze wilde het beeld dat op haar oogleden geëtst stond gestalte geven. Met één blik omvatte ze de wand. Haar tong gleed over haar lippen terwijl ze geconcentreerd de lijnen aanbracht. Zwarte lijnen voor de sterk aflopende rug en donkerbruine voor de gebogen nek. De logge buik, de slagtanden, de slurf, alles met trefzekere halen. Het waren slechts ruw aangebrachte lijnen, maar in het flakkerende licht van de fakkel leek het of het reusachtige dier uit de gebogen wand tevoorschijn stapte.

Geconcentreerd werkte ze door. Buiten werd het avond en nacht en ook weer morgen, maar daar merkten ze niets van. Kanter sukkelde in een ondiepe slaap waaruit hij telkens rillend wakker schoot. Feun werkte door. Ondanks de kilte van de grot liep het zweet in straaltjes over haar gezicht. Haar haren kleefden tegen haar hoofd. Ze at niet en dronk niet, daarvoor was haar werk te heilig.

Eindelijk, na een schijnbaar eindeloze tijdspanne, leunde ze voldaan achterover.

'Dit is het', zei ze.

Ze zette een stap achteruit en keek goedkeurend. Toen hief ze in een triomfantelijk gebaar de fakkel boven haar hoofd. In het rosse licht glinsterde de muur als kristal.

Kanter stond doodstil met ingehouden adem en Feun zelf werd getroffen door de ruige suggestie van macht die de rode en zwarte lijnen maakten, door de angstaanjagende levendigheid die de okergele en blauwzwarte vegen aan de afbeelding verleenden. De mammoetkoe leek uit de rots te stappen, levend, bewegend met logge gratie, klaar om in een moorddadige charge aan te vallen. Haar bolle flank, wonderlijk geaccentueerd door de uitstulping van de wand, haar hoge, schuin aflopende rug, haar kromme, verschrikkelijke slagtanden, haar slanke slurf, elk onderdeel drukte woeste, allesvernietigende kracht uit. Maar uit haar nek staken twee dunne speerschachten, die nog schenen na te trillen van de dodelijke kracht waarmee ze door onzichtbare jagers waren weggeslingerd.

Half weggedoken achter het moederdier school een kalf, maar ook dat droeg een moordende speer in de flank.

Uitdagend keek de koe hen recht aan.

'Ik wil hier weg!' jammerde Kanter.

Hij zat ineengekrompen op de vloer en zijn stem trilde van angst.

'Dit is magie, Feun. Ik weet zeker dat de geesten jouw hand

hebben vastgehouden, want geen mens is in staat dit te scheppen. Geen sjamaan, Wuizel niet en Mung niet, en zelfs die magiër niet met wie jij zo hoog oploopt. Dit is angstaanjagende toverij. Zo dadelijk stormt de mammoet uit de grotwand en vermorzelt ons.'

Ze zochten de kommen bij elkaar en de paar fakkels die waren overgebleven en keerden langzaam terug. Ze waren plotseling doodmoe en uitgeput, maar hun hoofd was nog vol van het onvatbare dat diep in de grot had plaatsgevonden.

Toen ze de grot en haar donkere geheimen verlieten, werden ze verblind door het helle licht van de wereld.

'Ik wil jager worden', zei Kanter. Zijn stem klonk vastberaden, alsof hij elke tegenspraak bij voorbaat wilde smoren. 'Of steenklopper zoals Frag, want ik ben goed met mijn handen, of verhalenverteller als Mirka, want ik heb een goed geheugen. Maar geen sjamaan. Ik zal nooit in staat zijn ook maar in de schaduw te staan van jouw magie.'

Feun lachte – een diepe, borrelende lach van voldoening.

*

Varn lag te draaien en te woelen. Op het plafond van de grot hing de zachtroze gloed van de afgedekte sintels en overal om hem heen waren de geluiden van de slapenden. Hij voelde met alle vezels van zijn lijf dat Feun in gevaar verkeerde, maar hij wist dat hij niets kon doen.

's Morgens ging hij meteen naar de sjamanengrot. Ze was leeg en van het vuur restte alleen grijze as.

In de loop van de dag kwamen Ranager en andere jagers om beurten kijken. Niemand begreep waar Feun en Kanter gebleven waren. De vrouwen dwaalden wat verder door de omgeving om de laatste vruchten te verzamelen, maar ook zij kwamen zonder resultaat terug. Steeds meer groepjes drentelden over het plateau, heimelijke blikken in de sjamanengrot werpend.

'Feun zou ons nooit in de steek laten', zei Ranager. 'Ze weet dat de ceremonie voor de mammoetjacht vanavond gehouden moet worden.'

Bezorgd keek hij naar de lage, asgrauwe wolken die door een forse wind werden voortgedreven.

'Als het weer omslaat...'

Alle jagers wisten wat hij bedoelde. Een mammoetjacht op zichzelf was al een riskante bedoening. Bij slecht weer...

En toen plotseling waren ze er, met rood ontstoken ogen, knipperend naar het licht van de dag. Feun was van top tot teen besmeurd met vegen verf. Zwart, honinggeel, mangaanblauw en alle tinten bruin en grijs.

Varn greep haar hand.

'Ben je in orde, Feun? Is alles goed met je?'

Ze schonk hem een moeë maar voldane glimlach en wendde zich tot Ranager.

'Het is in orde. Ik heb de magische tekens aangebracht om de jacht te laten slagen. Ze zal...' Ze kneep haar ogen dicht, alsof daar een visioen woonde, en wreef over haar voorhoofd. '...ze zal heel bijzonder zijn, dat beloof ik je.'

'Magische tekens', zei Kanter opgewonden. 'Onvoorstelbaar diep in de berg heeft ze in een onderaardse grot...'

'Als ik morgenavond de ceremonie houd...' onderbrak Feun hem.

'Morgenavond?' vroeg Ranager verbaasd. 'Vanavond bedoel je.'

Ze staarde hem aan.

'Vanavond? Vertel me niet dat we daar een dag en een nacht en nog een halve dag zijn gebleven!'
'Toch wel en we waren allemaal heel erg ongerust.'

*

In stilte wasten Feun en Kesse zich in het water van de rivier dat elke dag wat kouder werd, maar waar 's morgens nog steeds geen ijsvliesje op zat dat de winter zou aankondigen. Zilveren vissen flitsten langs hen heen. Ze schrobden hun huid en spoelden hun haren en wreven zich droog met plukken wollig mammoethaar dat Merrit ooit hiervoor had opgespaard. Het water ruiste in een steeds wisselende melodie.

Toen stuurde Feun Kesse naar de stamgrot om de sjamanendrank te bereiden en de andere ingrediënten die ze nodig zou hebben bij elkaar te zoeken.

In de sjamanengrot legde ze de berenmantel klaar. Hij was van Wuizel geweest en ook een tijdje van Mung, maar ze zette haar afkeer opzij, want hij was een symbool dat de stam vertrouwen zou geven. Daarna ging ze met gekruiste benen zitten bij het stervende vuur.

'Geest van de mammoet...' fluisterde ze telkens opnieuw. 'Machtige geest, ik heb je afgebeeld in de grot van de diepste duisternis. Je beeld zit daar voor eeuwig gevangen in de rots als heerser van het onderaardse jachtveld.'

De tijd stond stil, een paarse schemering vulde de verste hoeken van de grot. Toen zag ze, ver weg op de steppe, de mammoetkudde, de dicht tegen elkaar aan gedrongen lijven, de gigantische slagtanden als gekromde speren, de geheven slurven. De massa golfde over de heuvels, vulde de valleien.

Feun glimlachte opgelucht, want ze wist nu met absolute zekerheid dat ze haar belofte aan Ranager kon waarmaken. Ze sloeg de wijde berenmantel om, schikte de wiebelende kop op haar hoofd en stapte naar buiten, waar de jagers in een wijde kring rond het vuur zaten.

De zwijgende kring opende zich om haar door te laten.

Kesse bracht de kom met de sjamanendrank, maar aan de rand van de kring gaf ze de kom door aan Kanter, want geen andere vrouw dan Feun mocht nu tussen de mannen komen.

Zonder één keer om te kijken keerde ze terug naar de grot.

Eerbiedig reikte Kanter de drank aan zijn sjamaan aan.

Feun herkende de kom met de vuurrode vlam in het gladgeschuurde hout en strekte haar handen met geheven palmen.

Toen trapte Kanter met zijn blote voet op een weggesprongen sintel. Hij schrok, de kom kantelde en een geut van de drank spatte in het stof. Ontzet staarden de jagers elkaar aan.

Feun smoorde een kreet. Om haar heen heerste een stilte vol ontsteltenis. Toen hervond ze haar tegenwoordigheid van geest. Ze glimlachte haar leerling toe. Dit is helemaal niet zo erg, scheen ze te zeggen, maar haar hart lag als een kille steen in haar borst.

Ze nam de kom en dronk ze tot op de bodem leeg, de bittere smaak van de drank wegslikkend. Ze zag de ogen van Varn, Raven en Ugur die haar steunden. De ogen van Ranager die haar vertrouwden.

Ze danste.

De jagers keken ademloos toe. Ze vergaten de berenmantel en -kop en het meisje dat ze droeg.

Haar frêle lijf kon onmogelijk de illusie van een logge mammoet oproepen, dacht Varn, zelfs niet gehuld in de zware sjamanendracht. Je zou er iemand als Raven of Gorb voor moeten hebben. Bonken van kerels met brede schouders en armen die dikker waren dan Feuns dijen.

Maar Feun danste en met de suggestieve kracht van haar gebaren slaagde ze erin de massieve gestalte van de mammoet op te roepen. Ze dacht aan de afbeelding in de grot en boetseerde met haar handen de vormen in de lucht. Daar werden ze zichtbaar voor alle jagers.

Ranager sprong op – onverwacht lenig voor zijn leeftijd – en danste achter haar met hoog geheven speer rond het vuur. De anderen volgden tot ze een brede, stampvoetende kring vormden. Ze dreigden met hun wapens en slaakten luide overwinningskreten. Na een tijd zakte Feun uitgeput in elkaar. Haar haren waren nat van het zweet en plakten tegen haar hoofd. Haar lichaam schokte.

Hoog aan de hemel, vlak boven hun hoofd, verscheen tussen de sterren een bloedrode gloed, alsof een reuzenspin daar een web had geweven.

De jagers keken ernaar met hun hoofd tussen hun schouders getrokken. Was dit een tweede waarschuwing van de geesten? Had de verspilde drank hen dan toch mishaagd?

Feun lachte hun angst weg.

Zachtjes zei ze: 'Het is het bloed van de mammoets die jullie zullen doden.'

En alleen Kanter hoorde dat ze het over meer dan één dier had. Hij zag de gewonde koe en haar kalf en rilde.

Varn bukte zich over Feun heen en droeg haar naar hun vuurplaats en zij klemde zich aan hem vast en bedde haar hoofd tussen zijn hart en schouder, want ze wist dat er aan de hemel meer dan alleen maar mammoetenbloed was vergoten.

5

De zon was nog niet op, maar aan de horizon verbleekten de
sterren in de eerste opalen klaarte van de dag. De mannen
zaten bij elkaar, allen met een bundel speren. Hun adem
vormde witte wolkjes in de koude lucht, hun ogen
schitterden.

Voor de meesten was het ongunstige voorteken al vergeten.
Uiteindelijk was Kanter nog maar een leerling-sjamaan en die
maakte weleens fouten, net zoals een zomerjongen weleens
een prooi miste. Er was ook niet veel van de sjamanendrank
gemorst en daarna had Feun een perfecte mammoetimitatie
gedanst. Eentje waar Wuizel noch Mung ooit toe in staat zou
zijn geweest. Nee, misgaan kon het niet.

Ze wachtten ongeduldig op het vertreksein.

'Ik zal nu de verkenners aanwijzen', zei Ranager.

Te midden van de opgewonden mannen die nu nog wat
rechterop gingen zitten, zag hij er moe uit. Lusteloos ook,
alsof de hele jacht hem maar weinig aanging. Zijn haren en
baard werden steeds witter en de rimpels in zijn gezicht
dieper.

Bezorgd hield Feun hem in het oog. Een futloze leider kon
best een jacht laten mislukken. Zou ze hem een opwekkende

drank bereiden? Nee, mammoetjagers moesten nuchter zijn naar lichaam en geest.

'Warre...'

Na elke naam wachtte Ranager even tot de jager opstond en met gestrekte speer voor de groep ging staan.

'Varn...'

Feun keek met trotse ogen naar haar jager en knikte hem bemoedigend toe. Sinds hij deze grot had ontdekt, was hij een vast, gewaardeerde steun in de groep jagers geworden.

'Tjorn... Raven...'

Feun knipoogde ook naar haar broer. Ranagers keuze maakte het de stam duidelijk hoe belangrijk hij de familie van de nieuwe sjamaan vond.

'Ugur...'

Bij de laatste naam klonk gemompel en ook Feun zoog haar adem in van verrassing. Met geheven speer sprong Gorb op. Hij keek Ranager verontwaardigd aan. Ook Bran en Gart kwamen overeind.

'De vreemdeling? De... de...'

Hij hakkelde van woede.

'Krijgt hij de eer om het spoor te vinden van de kudde? De mammoetkudde?'

Hij struikelde over zijn woorden en zijn stem sloeg hysterisch over.

'Hij is niet te vertrouwen', riep Bran. 'Niemand van zijn stam is dat. Hebben jullie zijn huid al eens bekeken. Het lijkt alsof hij te dicht bij de zon heeft gelopen, zo donker is ze!'

En Gart siste: 'Hij zal de jacht laten mislukken. Opzettelijk. Dan kan hij achteraf opscheppen over de jachten van de oerosstam die wel slaagden!'

'Hij heeft bewezen een goede spoorzoeker te zijn', zei Ranager mat. 'Of dachten jullie dat een holenbeer een toevallige buit was? En daarbij, bij de oerosjagers heeft hij meer dan eens deelgenomen aan een mammoetjacht. Hij heeft daar ervaring in.'

'Ik steun hem', zei Frag. 'Hij heeft het leven van mijn kleindochter gered.'

Hij knikte Ugur toe.

'Hij was het die haar vond toen anderen – en ik zal hier geen namen noemen – het allang hadden opgegeven.'

Even leek Ranagers oude vechtlust weer te keren.

'Het blijft zoals ik het beslist heb. Warre, Varn, Tjorn, Raven, Ugur.'

Gorb liep weg met opeengeklemde kaken, zijn ogen samengeknepen tot smalle spleetjes, zijn gezicht donker van woede. Hij siste iets onverstaanbaars tussen zijn tanden.

Gart en Bran volgden hem. Een eind verderop bleven ze druk gebarend staan.

De jagers vertrokken, druk redetwistend over het voorval. De meesten gaven Gorb ongelijk. Maar Bran, die als bewaarder van het vuur een hogere status had dan de meesten, zei:

'Gelijk of ongelijk, daar gaat het niet eens om. Het is wel het tweede slechte voorteken. En dat is niet de juiste manier om op mammoetjacht te gaan.'

De vrouwen keken hen na, want in tegenstelling tot andere jachten konden ze niet mee om de jagers te helpen bij het dragen van de buit. Dit was een exclusieve mannenjacht.

Ook Feun keek vanaf de rand van het plateau de groep na die de rivier overstak en rennend verdween in het droge gras. Grijze figuren die in de mistige ochtend weldra oplosten in het bruin van de steppe. Voor het vertrek had Ranager met haar gepraat.

'Op zo'n belangrijke jacht moet de sjamaan eigenlijk meegaan, maar je bent een vrouw en dus... Ik weet het ook niet, Feun, het is allemaal zo nieuw voor mijn oude hoofd.' Hij had in zijn grijze haren gekrabd en haar onzeker aangekeken, maar ze had hem gerustgesteld: 'Het is goed, leider. Kanter gaat immers mee.'

Haar hart was zwaar van onrust, want ze wist dat de ongelukkige voortekenen hun beloop moesten krijgen.

Zou een van de jagers onder de hoeven van de kudde terechtkomen, zodat zijn verbrijzelde lichaam achteraf niet eens meer te onderscheiden was van de omgewoelde modder waarin het lag? Zou een slagtand een jager spietsen en hem hoog in de lucht zwaaien om hem met gebroken rug weer neer te gooien?

En wie... O, wrede geesten van het noodlot, wie zou de onfortuinlijke jager zijn? Tjorn? Raven? Ugur? Of Varn zelf, de man van haar vuurplaats? Haar hart brak bij de gedachte alleen.

Toen herinnerde ze zich het moedeloze gezicht en de hangende schouders van Ranager. Ze ademde diep van ontzetting. Niet Ranager, geesten van het noodlot, niet de man van wie ze als een vader hield!

Ze bedekte haar ogen met haar handen en bleef daar staan, lang nadat de vrouwen teruggekeerd waren naar de grot om daar in stilte alles voor te bereiden.

Ondanks het vooruitzicht op een schitterende buit, hing over het rendierkamp een sombere sfeer.

*

De verkenners waaierden uit over het land als de gespreide vingers van een hand. Ze bleven wel binnen het bereik van fluitsignalen.

Er heerste een gespannen verwachting. Ze liepen met lange, soepele passen, maar tegelijkertijd hadden ze oog voor sporen, uitwerpselen en de vlucht van de vogels. Toen de zon onderging hadden ze al, met neusvleugels trillend van opwinding, een kleine kudde paarden, een groep antilopen en een eenzame muskusos ontdekt, maar ze gingen er niet achteraan. Vandaag joegen ze op groter wild!

's Avonds sloegen ze hun kamp op in de bocht van een rivier. Er was een strook fijn wit zand, gedroogd door de wind, en er was voldoende drijfhout om hun vuur de hele nacht brandend te houden.

Warre nam de eerste wacht. Net voor dageraad was Paan aan de beurt. Hij wekte de anderen nog voor de eerste klaarte in de lucht zat.

Ze stonden bij elkaar, kleumend in de ochtendkou en luisterden met gespitste oren. Hun ogen glansden, want ver weg klonk een dof gerommel als van een onweer.

'Mammoets', zei Ranager eerbiedig, zoals het paste tegenover de heersers van de steppe. Even flikkerden zijn ogen in zijn bloedeloze gezicht dat grijs zag in het licht van de laatste sterren.

En Varn wist: het zijn de mammoets die Feun met haar magische dans naar ons toe gelokt heeft.

Hij koos de speer met de punt die Frag voor hem bij zijn manwording had geklopt. Die punt zag eruit als een sierlijk wilgenblaadje, doorschijnend als amber, maar toen zijn duim er liefkozend overheen gleed, voelde hij hoe scherp hij was, als een flinterdunne scherf. Hij had hem al vaak gebruikt en er steeds nieuwe schachten voor gesneden. Varn wist dat hij zelfs voor een dikhuidige mammoet zeker nog altijd dodelijk kon zijn als hij het dier op de juiste plaats trof, want hij zou door de dikste huid en vetlagen heen dringen.

Het begon te regenen, een miezerige regen die de nieuwe dag even grijs maakte als de laaghangende lucht, maar dat kon hun enthousiasme niet temperen. De mammoets kwamen eraan!

Er hoefden nu geen verkenners meer voorop te lopen. Ze draafden in een lange rij, Ranager als eerste en dan alle anderen volgens hun rang in de hiërarchie van de stam. Ugur, Oss en Pante – de nieuwste jagers – sloten de rij.

Een vlucht ganzen trok als een pijlpunt langs de hemel. Hun vleugels ruisten. Hoog boven hen zweefde een roofvogel zijn dodelijke kringen.

Ze gingen recht op het geluid af dat luider werd naarmate er meer klaarte in de lucht kwam. Het zweet drupte van hun gezichten en mengde zich met de regenstraaltjes, maar hun ritme vertraagde geen ogenblik. Toch maakten hun rennende voeten weinig geluid, niet meer dan het wegspringen van een haas tussen het wuivende gras.

Tegen de middag trok de regen weg en stak er een lauwe wind op die het zweet op hun huid en de regen op hun jakken droogde. Het gerommel was ondertussen een denderend geraas geworden.

Voor hen lag een heuvel begroeid met hazelaarsbosjes waartussen wildpaden naar boven slingerden. De grond lag met bruine vruchten bezaaid.

Achter de heuvel stak een stofwolk op. Er hing een zoete lucht van rijpe, opengebarsten hazelnoten, maar daarbovenuit steeg de reuk van de aanstormende kudde: zweet, urine en de scherp bijtende geur van bronstige mammoetstieren.

Ranager hief zijn speer. Er werden nu geen bevelen meer gegeven, ieder kende zijn taak. Ze hadden de wind op de neus zodat de kudde hen niet zou kunnen ruiken. Ze slopen naar boven, zich verspreidend over de verschillende paden en bleven toen gebukt staan, met verstomming geslagen. Een flauwe helling voerde naar een brede, droge rivierbedding en daar stroomde de mammoetkudde doorheen. Een ruige en door niets te stoppen, allesverpletterende massa, grijs en bruin, met flitsen vuilgeel en dofblauw in een wolk van stof, met geheven slagtanden en slurven, snuivend, grommend, loeiend in een orkaan van oorverdovend lawaai.

Ranager sprong op. Zijn gestrekte lichaam stak scherp af tegen de hemel. Hij schudde alle loomheid en alle vermoeidheid van zich af. Eén keer nog was hij de trotse jager, de onbetwiste aanvoerder van zijn stam. Hij koos een dier aan de rand van de kudde, boog zijn arm naar achteren en slingerde zijn speer weg. Die flitste in het grauwe licht, beschreef trillend een korte boog en drong in de huid van een mammoet vlak achter zijn schoft. De ruig behaarde kop met de kleine zwarte oogjes draaide in hun richting. Bloed gutste.

Bijna gelijktijdig vlogen andere speren en troffen hetzelfde dier, dat nog even doordraafde, maar dan luid trompetterend door de knieën zakte terwijl het de meeste speren van zich afschudde. Zijn huid rimpelde een laatste keer, zijn slurf viel krachteloos neer, raspend ontsnapte de laatste adem uit zijn longen, toen was zijn doodsstrijd voorbij.

De kudde stroomde verder en verdween en plotseling heerste er een stilte als van de dood. De mammoet en een jong bleven liggen in de omgewoelde aarde.

Kanter had niet alleen als sjamaan mee gemoeten met de jagers. Als de jacht lukte, zou, nu de vrouwen ontbraken, alle mankracht nodig zijn om de buit te villen, te ontweien, in grote brokken te hakken en naar de grot te slepen.

Toen hij de koe en het kalf stuiptrekkend zag liggen, zei hij met korte, afgemeten woorden: 'Een mammoetkoe met speren in haar keel en een kalf, net zoals de sjamaan het met behulp van de geesten in de magische grot heeft afgebeeld!' Niemand hoorde het, maar hij schudde het hoofd om zoveel onverklaarbare magie.

Vanaf dat moment zou hij nooit meer Feuns naam uitspreken. Ze was dé sjamaan, zo sprak hij haar aan en hij behandelde haar met nog groter ontzag.

*

Ze omringden de dode dieren, dansend in de omgewoelde en stukgetrapte aarde, hun speren triomfantelijk naar de hemel gestoken en naar de geesten die hen vandaaruit geleid hadden.

Plotseling slaakte Tjorn een hoge kreet.

'Het is een dier met twee geslachten', riep hij. 'Een koe en een stier tegelijk!'

Er viel plotseling een stilte. Ze verdrongen zich eromheen. Verbouwereerd zagen ze de penis en de vulva tussen de logge poten en wezen die elkaar vol verbijstering aan.

Hermafrodiete dieren waren uiterst zeldzaam. Mirka kende een verhaal uit de tijd van de gletsjergrot van generaties geleden. Jagers hadden toen een tweeslachtige gems neergelegd. Dat had grote opschudding veroorzaakt. De toenmalige sjamaan had een grote ceremonie gehouden om de dubbele geest van de gems te eren. De vrouwen hadden het vlees met veel ceremonieel klaargemaakt en ieder stamlid had ervan gegeten. Plechtig had Mirka zijn verhaal besloten, en ze herinnerden zich allemaal zijn woorden: in het volgende jaar werden veel meer baby's geboren en ook een aantal tweelingen. Dat was allemaal te danken aan de geest van de hermafrodiet. Hij had de vrouwen vruchtbaar gemaakt en de stam voorspoed bezorgd.

Nu stonden ze er verbijsterd bij, Mirka even sprakeloos als de anderen, want dit was een hermafrodiete mammoet en dat betekende zoveel meer dan een gems.

Uiteindelijk zei Warre: 'Feun zal hier wel raad op weten. We hebben immers nooit een sjamaan gehad als zij. Als Ranager...'

Hij keek verwonderd om zich heen, maar de leider was nergens te bespeuren.'

'Ranager!'

Ze riepen het opgewonden, allengs vol angst. Was hij...?

'Ik stond naast hem toen hij zijn eerste speer slingerde', zei Varn. 'Daar bij de brede geul in de helling, vlak achter de laatste hazelaar.'

Hij wees en toen zagen ze allemaal de donkere gestalte die daar in de bruingele aarde lag.

Met grote sprongen renden ze erheen, elkaar hinderend in hun haast. Angst snoerde hun kelen dicht.

Ranager lag voorover, zijn armen gestrekt, zijn vingers met gebroken nagels klauwend in de aarde. Hij had een grote wond aan het achterhoofd en zijn half naar de hemel gewende gezicht zag grauw als de lucht op een troosteloze regendag en overal kronkelden slierten geronnen bloed.

Hij geleek in niets meer op de rustige, vriendelijke man die hij altijd was geweest. Zijn blauwige lippen waren weggetrokken in een kwaadaardige grijns en ontblootten zijn bruine, brokkelige tanden, zijn ogen staarden woest naar een punt in de verte.

Lamgeslagen door het noodlot stonden ze om het lichaam heen en vergaten op slag de onvoorstelbaar rijke jachtbuit waar ze zonet nog triomfantelijk omheen hadden gedanst.

'Hij is dood', zei Varn, verbijsterd dat het Ranager was overkomen. 'Ranager, onze leider, is dood.'

'De mammoet heeft hem gedood', zei Tjorn vol ontzag.

Ze knikten. Het gebeurde vaker dat een jager omkwam bij de jacht.

Kanter zei, de brok van verdriet wegslikkend, zodat zijn adamsappel wild op en neer wipte: 'Een jager die gedood wordt door een mammoet is iets bijzonders. Voor hem wordt in de geestenwereld een ereplaats voorbehouden. Maar een jager die gedood wordt door een hermafrodiete mammoet...'

Hij krabde in zijn haar, want zoveel eer ging zijn voorstellingsvermogen van leerling-sjamaan ver te boven.

Varn bukte zich. Met deemoedige vingers veegde hij uiterst voorzichtig de haren weg die vol bloed en stukken hersenen hingen. Het was een zinloos gebaar, maar het leek het enige wat hij nog voor Ranager kon doen.

Toen verstrakte hij. Hij richtte zich op, ontredderd door wat hij zojuist had ontdekt.

'Geen mammoet', zei hij.

Iemand slaakte een gesmoorde kreet, maar het geluid ging verloren in het opgewonden geroep.

Varn raapte een vuistdikke steen op die een eindje verderop lag en waaraan dezelfde smurrie kleefde.

Geen mammoet? Vol ongeloof keken ze elkaar aan. Wat beweerde Varn nu?

'Hoe kan Ranager dan...'

'Hij moet gevallen zijn.'

'Ja, vlak nadat hij zijn speer had weggeslingerd.'

'Voorover?' vroeg Varn. 'En dan met zijn achterhoofd op een steen?'

'Een steen die van een rots naar beneden is gevallen toen we de helling naar beneden renden...' zei Raven, aarzelend een verklaring zoekend.

Ze keken om zich heen. Op de bult van de heuvel viel in de verste verte geen rots te bespeuren en ook niet in de geulen van de berm.

Ze plukten aan hun baard en krabden zich in de haren, ontredderd en onthutst.

Varn stond doodstil, alsof hij zelf tegen een rotsblok was opgelopen. Hij keek Tjorn en Raven veelbetekend aan, in hun ogen zoekend naar de waarheid die hij zelf net had ontdekt. Een bevestiging voor dat vreselijke vermoeden.

'Hij is doodgeslagen', zei hij. 'Mammoets gooien niet met stenen.'

Zijn keel zat dicht en hij had moeite om de woorden uit te spreken. Hij had van Ranager gehouden als van een eigen vader. Dat iemand hem zou doden, iemand van hun eigen stam, leek zo absurd dat het idee alleen al onvoorstelbaar was.

Tjorn nam de steen over, hield hem bij Ranagers achterhoofd, knikte en zei: 'Je hebt gelijk. Hij is doodgeslagen.'

Ze waren stuk voor stuk onverschrokken jagers, ze traden de meest woeste roofdieren tegemoet met alleen hun broze speren, ze joegen op prooien die vele keren groter en onvoorstelbaar krachtiger waren dan zijzelf, maar nu stonden ze verbijsterd bij elkaar. Verweesd. Een blikseminslag vlak voor hun voeten had hen niet erger kunnen doen schrikken.

'Wie?' vroeg Varn.

Zijn stem klonk vlak, maar net daardoor angstaanjagend dreigend.

Ze stonden onbeweeglijk. Niet een sloeg zijn ogen neer, niet een schuifelde onbehaaglijk met zijn voeten.

'Wie?'

Zijn stem steeg en had de klank van op elkaar geklopte stenen waar vuurgensters afsprongen.

'Het is een van ons.'

Ze stonden met opeengeklemde kaken en brandende ogen.

'Als ik hem...'

Tjorn greep Varns elleboog.

'Dat is voor later, Varn. Feun en de geesten zullen hier antwoord op weten. En dan zullen we' – zijn stem klonk donker van woede – 'met hem afrekenen.'

*

Ze spreidden een van de grote vachten uit die bedoeld waren geweest om de buit naar huis te brengen en vier jagers legden het lichaam daarop. De anderen stonden er op een kluitje omheen als een toom verdwaalde eendenkuikens.

'De verkenners zullen hem dragen', besliste Mirka. 'Zo zou hij het zelf gewild hebben. En niemand protesteerde, zelfs Gorb en zijn trawanten niet.

'En de mammoet en het kalf...'

Hij aarzelde. Konden ze de buit achterlaten, een prooi voor de aasdieren die vast nu al rondslopen, wachtend tot de jagers verdwenen zouden zijn? Deze onvoorstelbaar rijke buit, zo'n symbool van weelde en overvloed? Maar anderzijds, konden ze hem meenemen, nu Ranager er niet meer was om hem te verdelen zoals een leider dat doet?

'Feun zou hier raad op weten', zei Raven.

Ze keken Kanter aan, hij was toch haar leerling.

'Ik weet zeker dat... dat de sjamaan...'

Hij slikte, opnieuw wipte zijn scherpe adamsappel heftig op
en neer.

'Ze heeft de mammoets afgebeeld in de heilige grot en ze
heeft ze naar ons toe gedanst. We kunnen de gift van de
kudde niet verspillen. We moeten de geest van de mammoet
eren door hem te eten.'

Ze knikten met stijf op elkaar geklemde lippen. Kanter had
goed gesproken, Feun zou het niet anders willen.

En dus gingen ze in stilte aan de slag met hun messen van
obsidiaan en bijlen van kwartsiet. Ze hakten en zaagden en
sneden de beste stukken, woordeloos, zich hevig bewust van
het bijzondere van hun taak en tegelijk van hun verdriet.

Varn nam de lever van het volwassen dier en legde die bij
Ranager op het zeil. Er klonk zelfs geen goedkeurend
gemompel, maar iedereen begreep de betekenis van zijn
gebaar.

Nog altijd in stilte vatten ze de terugtocht aan. Ze liepen met
gebogen hoofden, hun lasten wogen loodzwaar en ze
vorderden traag en moesten opnieuw een nachtkamp
opslaan.

Ze kozen een vallei met een visrijke vijver en rietkragen
waar het wemelde van het wild. Een zwarte zwaan dreef traag
over het water. Haar fiere nek en kop spiegelden, zodat het
leek of daar een tweeling dreef. Ook dat was een teken van
de geesten, dacht Varn, hoewel hij het niet begreep. Feun
zou...

Hij sloot even de ogen. Zijn gedachten kwamen altijd opnieuw bij haar uit. Hij begreep dat zij nu de onbetwiste leider van de rendierstam zou zijn.

Een paar jagers spietsten een aantal vissen en roosterden ze boven het vuur, terwijl anderen met hun slingers twee konijnen en een sneeuwhoen neerlegden, want aan het vlees van de mammoets raakten ze nog niet.

De rode avondhemel gloeide dieper dan ooit voorheen en de vlammen van het wachtvuur hadden de kleur van verwelkte klaprozen.

Opnieuw waren het tekens die alleen hun sjamaan zou kunnen verklaren.

Ze aten de knisperende vissen en kloven de botten van de konijnen en het sneeuwhoen af. Daarna gingen ze liggen, gewikkeld in hun jakken, hun ruggen naar de nagloeiende sintels. De geur van het ranzige mammoetvlees hing om hen heen. Ondanks hun vermoeidheid duurde het lang voor de een na de ander in slaap viel.

De eerste wachter zat ineengedoken, een donkere schaduw onder de nachthemel.

*

De nieuwe zomerjongens stonden op de uitkijk op de rand van het plateau, balancerend op de uiterste rand van de rotsrichel. Trots droegen ze hun jongensperen. Ze schermden hun ogen af voor de felle schittering van de laagstaande zon en tuurden naar de steppe om als eerste de mammoetjagers te ontdekken. De dag vergleed en de hoop dat ze nog voor de avond zouden terugkeren werd steeds kleiner. Toen slaakte Timoe en kreet. 'Daar!'

Hij wees met zijn gestrekte speer.

'Daar. Vlak bij het heuveltje met de kromgegroeide boom.'

Toen zagen ze het allemaal. Een lange rij traag vorderende jagers in de paarse schemering.

De zomerjongens sprongen en joelden en schudden hun speren als volgroeide jagers.

'Ze hebben de mammoets gevonden en gedood', joelden ze.

'Kijk hoeveel buit ze hebben!'

'We moeten hen helpen.'

Maar ze wisten dat de onverbiddelijke stamwet het hun verbood: zomerjongens hielden de wacht bij de grot en niets was belangrijk genoeg om daarvan af te wijken, zelfs geen triomfantelijk terugkerende mammoetjagers.

Op hun gejoel kwamen de vrouwen en kinderen naar buiten en de meesten daalden af naar de rivier om bij de oversteek de jagers op te wachten.

Kesse die ogen had als een arend, was de eerste die opmerkte dat er iets mis was.

'Dat is Ugur', zei ze, haar hand beschermend boven haar half dichtgeknepen ogen. 'En Varn en Raven en Warre. En wat ze dragen is geen buit.'

'Een van de jagers is gewond', zei Feun. Haar hart kromp ineen. Ranager! De voortekens vol onheil hadden haar dus niet bedrogen. Als hij alleen maar gewond was! *Geesten van het noodlot, maak dat hij alleen maar gewond is... dat ik hem met mijn kruiden en jullie hulp beter kan maken. Maak dat hij...*

Ze keek op naar de schommelende rendierschedel met de lege oogkassen boven op de paal. Wist hij wie daar lag op de huid die de jagers zo voorzichtig droegen? Wist hij hoe het met hem gesteld was? Hij was toch de totem van hun stam!

Ze schudde het hoofd. Niet denken nu, doen. Ze stuurde Kesse naar de grot.

'Neem een paar vrouwen mee. Zorg voor voldoende kokend water. Zoek de kruiden om wonden te behandelen. Wilgenbast. Duizendblad. Iriswortel. Goudsbloem. Kauw de pap en bewaar ze in een stenen schaal. Leg spalken klaar. Stuur vrouwen om verse varenbladeren te plukken. Houd die boven de stoom.'

Haar geest werkte koortsachtig snel, maar zolang ze niet wist welke wond de jager had opgelopen, kon ze niet meer doen. Ze stapte in het water en waadde naar de overkant.

Toen ze bij hen was, legden de dragers hun last neer. Ze bogen het hoofd en stonden met hangende schouders.

'Het is Ranager', zei Varn.

Feun verstijfde. De kilte van het water trok van haar benen door haar hele lijf. Haar hart bonsde als de trommels van Kanter, bonk bonk bonk, haar maag kwam omhoog en in één bittere gulp kwam haar eten naar buiten.

Varn praatte verder. Toonloos. Hij had gedurende de lange weg terug zijn gevoelens weggestopt en er een pantser omheen gebouwd. Hij had woorden gerepeteerd, woorden van woede en wraak, woorden van pijn en smart, maar ze waren vervlogen toen hij ze nog maar net had bedacht. Hij kon alleen maar opsommen wat er gebeurd was, kort en koud, met een stem waaruit hij alle sentiment weerde.

'Iemand heeft met een steen op zijn hoofd geslagen. Zijn schedel is gebarsten als een gekraakte noot. Zijn hersenen...'

'Houd op', zei Feun.

Ze had vaker verpletterde schedels gezien en vertrapte, stukgereten, toegetakelde lichamen, maar dit was Ranager over wie hij het had.

Scherp zei ze: 'Houd op, Varn. Hij was een vader voor me.'

Ze keek haar gezel recht aan. Haar ogen waren hard als

obsidiaan en donkerpaars van woede en wraakzucht.

'Wie, Varn? Zeg het me. Wie? Een van hen?'

Een korte ruk van haar hoofd naar de anderen, die met hangende schouders bij de neergelegde vrachten stonden. Alsof ze onmiddellijk ter plaatse wilde afrekenen met de dader.

'Als jullie het nog niet gedaan hebben, zal ik hem zelf met mijn blote handen verscheuren.'

Uit haar stem klonk barbaarse, onbarmhartige wraakgierigheid die geen uitstel duldde.

'We weten het niet.'

Varns stem bleef even toonloos.

'Niemand heeft iets gemerkt. Wie het ook gedaan heeft, hij heeft het slim aangelegd. Hij heeft geen speer gebruikt waaraan we de eigenaar meteen zouden herkennen. Een steen die iedereen kan hebben opgeraapt. We hebben twee mammoets gedood en pas na de roes van de jacht merkten we dat hij ontbrak.'

'Jij zult het moeten uitvinden', zei Tjorn.

Hij legde zijn hand in een sussend gebaar op Feuns arm.

'Alleen de geesten kennen de dader en jij bent de sjamaan. Feun, de sjamaan van de rendierstam. Denk eraan, dit gaat oneindig veel verder dan dansen voor een jacht. Dit gaat om Ranager en zijn moordenaar.'

Feun keek de rij jagers langs. Haar ogen boorden zich een voor een in die van de jagers, alsof ze tot in hun geest wilde peilen. Haar blik haperde bij Gorb en daarna bij Bran en Gart. Geen van de drie knipperde ook maar met zijn ogen. Het waren gemeen loerende, troebele ogen vol achterdocht en afgunst, maar ze wist dat ze niet mocht afgaan op vooroordelen. Dit moest ze uitzoeken tot op het bot en verder nog, zoals vrouwen het laatste merg uit gespleten botten krabden en ze dan nog uitkookten.

Ze ademde diep en liet de laatste woede uit zich wegvloeien.

'Breng hem naar de grot', zei ze stilletjes. 'We zullen hem eren zoals het een groot leider past. Daarna zullen we hem begeleiden op zijn reis naar de tweede wereld.'

In de nu snel invallende duisternis zette de lange rij zich opnieuw in beweging, door het wad, over het langzaam stijgende pad tot op het plateau. De vrouwen jammerden, de kinderen huilden. In de verte weerklonk het gehuil van Wolf, stijgend en dalend op de adem van de wind.

De stam huiverde. De vrouwen wierpen boze blikken op Mirre.

'Je kunt beter een tijdje verdwijnen', zei Ymir. 'De stam wil haar leider naar het geestenkamp zingen.' Mirres mond verstrakte. Haar ogen stonden hard en vijandig. 'En daar hoor jij niet bij.'

Feun begreep dat het een sobere plechtigheid moest worden. Zo zou Ranager het gewild hebben. Waardig zoals het de uitvaart van een leider paste, met de juiste dans en zang, maar zonder uitbundigheid.

Ze moest opnieuw de weg naar de geestenwereld gaan, maar dit keer was ze niet bang. De geest van Ranager zou haar vergezellen en hij was sterk genoeg om alle gevaren die op hen loerden te trotseren.

'Er is nog wat', zei Varn.

Hij wees naar het eerste zeil waarop de vachten van de mammoets lagen en de geslachtsdelen.

'De volwassen mammoet. Het was een hermafrodiet, stier en koe tegelijk.'

Feun vroeg zich af waarom ze niet eens schrok.

Ze wist dat de laffe, gewelddadige dood van Ranager ook in de geestenwereld voor beroering had gezorgd. Dit was het antwoord van de geesten, het ultieme eerbewijs aan een rechtvaardige leider.

*

Ze hielden een dodenwake zoals voor een stamhoofd gebruikelijk. De mannen zaten om beurten gehurkt bij het lichaam voor een lange wacht en werden dan afgelost door anderen. Ze wikkelden hun cape vast om zich heen en schoven hun kappen diep over hun hoofd zodat het zacht smeulende vuur alleen weerspiegelde in hun ogen.

Na de lange, uitputtende marsen en alle emoties waren ze doodmoe, maar als het hun beurt was om te waken zaten ze klaarwakker. Om beurten vertelden ze met zachte, liefkozende woorden over Ranagers jachtavonturen, over zijn manwordingstocht, zo lang geleden dat alleen de oudsten het zich herinnerden, over zijn tocht van de gletsjergrot hierheen, over de buit die hij de stam had bezorgd. De stemmen klonken dof vanonder de kappen, alsof ze ook bestemd waren voor de meeluisterende geesten, en de woorden streken over het roerloze lichaam als strelingen.

En telkens opnieuw kwamen ze bij de laatste prooi die Ranager had neergelegd: de hermafrodiete mammoet. Waarom had hij net dat dier uit de enorme kudde gekozen, waarom had zijn speer onfeilbaar dat dier geveld? Ze raakten er niet uit en ook niet over de gevolgen voor de stam. Maar allen eindigden met: 'De sjamaan zal het weten.'

Zo onwankelbaar was hun vertrouwen in Feun.

Varn weigerde te slapen. Hij zat de hele nacht bij het hoofd van de dode. Feun had met gele oker het lichaam gemerkt. Drie speerpunten in het gezicht: een op het voorhoofd, een op de neus, die in de dood messcherp was geworden, de laatste op de keel, vlak op de vooruitstekende adamsappel. Drie gekartelde lijnen op de buik voor de belangrijkste organen, de maag, lever en longen. Op zijn borst een kring van speerpunten, alle wijzend naar het hart. De tekens zouden hem in de geestenwereld de status van geëerd stamhoofd verlenen.

In Varns doodsmoeë hoofd bleven slechts flarden van gedachten, de rest was verdriet en wanhoop. En woede. Woede jegens zichzelf omdat hij niet gezien had wie de aanslag pleegde en hij er op geen enkele manier achter kon komen. En allesverterende woede tegen die ene die het onnoemelijke had aangedurfd.

Hij zag de jagers komen en gaan, neerhurken en weer wegschuifelen. Hij keek naar hun ogen, hun houding, maar geen gedroeg zich anders dan de anderen, allen waren kapot van verdriet. Toch wist hij: een van hen speelde komedie.

Feun en Kanter zaten in de sjamanengrot, beraadslagend over hun taak.

Feun bereidde dranken. Een tijdlang zat ze met haar gezicht boven een kokendhete waterzak en ademde diep de scherp geurende stoom in. Ze voelde haar hoofd licht en ijl worden en haar gedachten zuiver en helder als sterrenlicht. Ranagers gezicht doemde voor haar op. Niet het vermoeide, lusteloze gezicht van de afgelopen dagen, maar de trekken van de zachte en toch bezielende leider die hen hierheen had gebracht en die zijn stam met vaste hand had geregeerd, streng maar rechtvaardig voor iedereen, zelfs voor de vreemdelingen Ugur en Mirre.

Hij keek Feun aan, zijn ogen vol begrip en mededogen.

Het witte licht vulde Feuns hoofd, stemmen fluisterden, plukten aan haar geest, onverstaanbaar eerst, maar geleidelijk duidelijker.

Tegen de ochtend kwam Kanter moeizaam overeind. Hij legde zijn hand op Feuns arm. Hij keek bezorgd.

'Toen je de weg ging met Mung...' zei hij. Hij liet zijn woorden bewust zweven, zodat Feun kon inpikken.

'Er is een pad', zei ze. 'Een pad tussen de twee werelden. Het is messcherp met diepe afgronden aan beide zijden. Soms is het onderbroken, dan moet je over de kloof heen springen.'

'Maar als je voeten...'

'Je begrijpt het niet. Op dat pad ga je met je geest, niet met je voeten.'

Kanter staarde haar aan en verdween naar buiten. Even later begon het doffe, monotone bonzen van botten die op elkaar werden geslagen.

Bonk. Bonk. Bonk.

Het doordringende ritme van de dood. Het klonk feilloos en Feun glimlachte, want ook Kanter was blijkbaar geraakt door dit unieke moment. Ze wist dat het bonken de hele dag door zou gaan, onafgebroken, tot het doorgedrongen was tot de diepste vezels van de stamleden, tot het hun hoofden zou hebben verdoofd en hun harten het ritme zouden hebben overgenomen. Het zou doorgaan tot het het naakte lichaam van Ranager als een lijkwade zou omspinnen, zodat het klaar was voor de ultieme overgang. Tegelijk klonk het dreigend, wraakzuchtig. In één hoofd moest het angstaanjagend bedreigend klinken, een huiveringwekkend dreunen op elke gespannen zenuw.

Ze wachtte geduldig tot de dag langzaam, onmerkbaar bijna,

uitging en eerst de hoeken en daarna de hele grot gehuld werd in een wonderlijke paarlemoeren glans. Toen pas mengde ze de laatste, ultieme drank.

Even aarzelde ze, want haar hoofd voelde ongelooflijk zuiver, als gevuld met licht, maar toch voegde ze er één dunne reep van de gedroogde zwam bij. Zo wilde het de traditie van de medicijnvrouwen en ze zou er niet van afwijken.

Ze nam een kleine teug en vulde de berenschedel. Ze voelde de goedkeurende aanwezigheid van Merrit en nu voor het eerst ook die van Mung en ze wist dat ze er klaar voor was. Ze liep naar buiten.

Een smalle, achteroverliggende maansikkel met een heldere halo klom aan de hemel en maakte van het uitspansel een zilveren spiegel.

In de stamgrot en onder de overhangende rots waren de vuren gedoofd en was het leven stilgevallen. Het getrommel stierf langzaam weg en zelfs de geluiden van de steppe waren ver weg, niet meer dan een zwakke achtergrond voor wat hier te gebeuren stond. Iedereen wachtte met ingehouden adem op het magische ogenblik waarop de sjamaan zou verschijnen om de ceremonie te beginnen.

Weer was daar tussen de jagers het eenzame pad, recht als een speerschacht en vol eerbiedige stilte.

Even waren Feuns gedachten bij Mung, die hier zo kort geleden had gelegen. Nu was het het naakte lichaam van Ranager dat aan het einde van het pad lag. Het lichaam van een man met de littekens van vele jachten, oud, vergrijsd, gerimpeld. Maar dat betekende niet dat ze minder van hem hield.

De merktekens in gele oker glansden alsof de maan zelf ze had aangebracht en de kring van speerpunten rond het hart was als de stralenkrans van de zon zelf.

Ze herkende Tjorn, Raven en Varn en, aan de voeten van het lichaam, Frag en Mirka. Ze sloeg haar ogen neer. Deze nacht mochten de levende jagers slechts naamloze schimmen zijn. Om haar heen hing een stolp van verwachting.

Geesten, help me al die verwachtingen in te lossen. Help me vooral Ranager zo te begeleiden dat hij veilig thuiskomt.

Ze stond aan zijn hoofd, een indrukwekkende verschijning in haar sjamanenmantel met berenkop, kwetsbaar én tegelijk omgeven door een aura van bovennatuurlijke macht.

Haar handen vormden gebaren die opstegen uit de diepste spelonken van haar geest, gebaren waarvan ze pas bij het uitvoeren de betekenis begreep, maar waarvan ze wist dat ze niet anders konden zijn.

De sterren fluisterden en ze herhaalde hun woorden.

'Ranager, die hoofd was van de gletsjerstam en daarna van de rendierstam. Vannacht zal ik jou begeleiden naar de tweede wereld, waar de geesten van je voorouders op je wachten.'

Waarom klonken de woorden haar zo bekend?

'De geest van Kira uit wie je geboren bent, de geest van...' Ze herhaalde feilloos de namen die Mirka haar had voorgezegd.

'De geesten ook van diegenen die voor jou de stam hebben geleid.' Weer volgde een eindeloze rij namen die terugging tot in de nevelen van de tijd.

'Je was de laatste in de gletsjergrot, de eerste op deze nieuwe stamgrond. Zo was je een symbool voor de overgang van ons volk naar een rijke toekomst.'

Ze doopte haar wijsvinger enige keren in de berenschedel en ging dan over de okerstrepen die daardoor fluorescerend glansden in het maanlicht.

Plotseling werd haar stem luider, het hese gefluister werd helder en dreigend.

'Ranager.'

Ze slikte. Het uitspreken van zijn naam deed nog altijd pijn.

'Je dood is nog altijd een raadsel waar de stam geen antwoord op heeft, maar vanuit de tweede wereld zul jij ons het teken geven om dat raadsel te ontsluieren.'

Ze doopte nu al haar vingers in de ivoren kom van de berenschedel. Druppels lekten als zilveren tranen.

'Opdat je oren de moordende steen zullen horen zoeven, opdat je ogen je moordenaar zullen zien, opdat je mond zijn naam zal fluisteren...'

De laatste woorden dreven weg op het suizen van de wind. De jagers huiverden en een was er die rilde onder zijn neergeslagen kap, maar dat merkte niemand.

Mirka, Frag, Raven, Tjorn en Varn namen het lichaam op en droegen het langs het pad naar de rivier. Op de plaats waar ze Mung aan het water hadden toevertrouwd, hielden ze halt. Kikkers kwaakten de stilte van de nacht aan stukken en af en toe sprong een vis boven het water uit en dan dijden de rimpelingen uit tot tegen de oever. De fakkel die Kanter droeg bloeide open als een zomerbloem.

Met een ruk legde Feun de sjamanenmantel af en stapte naakt het ijskoude water in. Ook de mannen stapten tot in het midden van de rivier waar de stroming sterker was. Het lichaam bewoog zachtjes op de golven, alsof de huid rimpelde.

'Je was een vader voor de stam', zei Feun. Ondanks de koude beefde haar stem niet.

'Het water waaruit je geboren bent, zal jou naar de tweede wereld brengen en mijn geest zal je begeleiden.'

Ze duwde het lichaam af dat wentelend wegdreef. Even flikkerden de sterren en was het alsof de halo van de maan sterker oplichtte.

Ondanks de verlammende koude zongen ze samen het lied van de doden helemaal tot het einde en waadden dan naar de oever.

Varn sloeg de sjamanenmantel om Feun heen. Dankbaar keek ze hem aan.

*

Het feestmaal was nog overvloediger dan na Mungs begrafenis, maar er werd in stilte van gegeten, want door Ranagers dood was de stam onthoofd.

De smaak van het mammoetvlees was zoet en bitter tegelijk.

'Als het dier zelf,' zei Feun, 'stier en koe, man en vrouw. Vanavond eet de stam van twee werelden en ze zal er rijker van worden, sterker en beter bestand tegen de moeilijke tijden die ooit komen.'

Tjorn zei: 'We zullen er betere jagers door worden, onze armen krachtiger, onze speren trefzekerder.'

En Mirka zei: 'En ik heb een verhaal dat verteld zal worden zolang er sterren aan de hemel staan.'

Daarna zaten ze verweesd bij elkaar – Mirka vertelde geen verhalen, de jagers maakten geen plannen, de vrouwen schuifelden met gebogen hoofd tussen de mannen door. Het was niet alleen droefheid – jagers sterven bij de jacht en Ranager vertoefde nu in een betere wereld! – maar vooral onzekerheid. Een stam zonder leider functioneerde niet.

Feun at alleen een klein stukje van de mammoetlever. Ze liet Kanter achter en liep alleen naar de sjamanengrot. Het moeilijkste deel van haar taak moest ze in eenzaamheid volbrengen. De lange, gevaarlijke weg naar de geestenwereld. In de duisternis was het alsof ze een fluisterstem hoorde.

Het was een prachtige ceremonie, sjamaan.

Ranager! De woorden die hij uitgesproken had na Mungs begrafenis. Ze glimlachte opgelucht. Plotseling waren haar twijfels weggeblazen als donsveertjes uit de borst van een sneeuwgans.

Varn was doodop. Hij at zijn deel van het dodenmaal en kroop dan onder zijn slaapvacht. Hij sliep voor zijn hoofd de hoop bladeren raakte. Dat iemand elk van zijn bewegingen met flitsende ogen had gevolgd, merkte hij niet meer.

6

Achteraf wist Feun niet hoe lang ze in diepe trance had
gezeten. Eenzaam was ze de lange weg gegaan. Toen de grot
om haar heen weer de vertrouwde vormen aannam, bleef ze
nog even gehurkt zitten.

Haar lichaam was uitgeput, maar haar geest was klaarwakker
en ze wist dat ze niet meteen zou kunnen slapen. Daarvoor
waren er te veel en te sterke emoties die het bloed door haar
lichaam joegen.

Ze probeerde aan andere dingen te denken. Voor even lag de
geestenwereld achter haar. De eerste en belangrijkste taak
was nu een nieuwe leider te kiezen. Ze duwde de gedachte
weg. Morgen. Morgen zou ze alle kandidaten tegen elkaar
afwegen. Elke jager met al zijn kwaliteiten en al zijn gebreken.
Daarna zou ze haar keuze voorleggen aan de geesten zodat
die de jagers konden helpen de juiste beslissing te nemen.

Kanter kwam de grot binnen.

'Heb je...?' vroeg hij bedeesd, schuw om zich heen kijkend.

'Ja.'

Feun glimlachte hem toe. Arme Kanter, leerling-sjamaan en
tegelijk bang als een wezel voor alles wat met geesten te
maken had.

'Ja, ik heb het pad gevolgd.'

'En is Ranager...?'

'Ja. Alles is gegaan zoals het gaan moest.'

Hij zuchtte opgelucht.

'Ze hebben gegeten,' zei hij, 'alsof na vandaag de
voorraadkuilen leeg waren en ze zich voor een hele winter
moesten volproppen.'

Hij legde een blok op het vuur en schudde de hoop dorre
bladeren waarop hij sliep.

'Als je me niet meer nodig hebt...'

'Nee', zei Feun.

Even nog, dan zou ze naar de stamgrot gaan. Ze dacht aan al
de dingen die moesten gebeuren vooraleer de lente in het land
kwam.

Ze zou nieuwe afbeeldingen moeten maken om andere
prooien naar de jagers te lokken. Ze zou daarover met het
nieuwe stamhoofd moeten overleggen. Kariboes als die
opnieuw aan hun trek begonnen, bizons en muskusossen,
paarden, rendieren, antilopen... Het leek een eindeloze reeks.
Als ze haar ogen sloot, zag ze ze opdoemen uit de wand diep
in de berg, een lange, lange rij achter de majestueuze
mammoet aan.

Haar hart was zwaar. Niet om het werk, dat was wel
uitputtend, maar ze deed het met vreugde en overgave en het
schonk haar grote voldoening. Wel om Varn. Het zou
betekenen dat ze weer vele dagen én nachten afwezig zou zijn,
dat ze in de absolute duisternis van de gang opnieuw de tijd
zou vergeten, dat ze onbereikbaar zou zijn voor iedereen van
de stam, ook voor Varn en dat hij vruchteloos naar haar zou
uitkijken. Dat hij 's nachts alleen zou liggen, verlangend naar
haar. Maar het betekende nog meer. In de nachten dat ze wel

bij hem zou zijn, zou haar geest nog altijd ronddwalen tussen de tekeningen. Het betekende dat ze ook dan meer sjamaan zou zijn dan de vrouw van haar jager, en dat ze vaak niet zou reageren op de tedere handen die haar zochten.

Ze bedacht hoe gelukkig ze was geweest als medicijnvrouw, toen zij en Varn elke nacht opnieuw geliefden waren, net zoals Kesse en Ugur dat nu waren. Maar als sjamaan was haar geest vaak belangrijker dan haar lichaam, was de schemerige wereld van de geesten belangrijker dan het genot onder de slaapvacht.

Er waren nog steeds zeldzame dagen waarop er geen vreemde gedachten in haar hoofd zaten, dagen waarop alle magie veraf leek. Dagen waarop ze kinderen op haar schoot trok en met hen speelde en kletste met de vrouwen. Het waren dagen waarvan ze hield en die ze koesterde als kostbare kleinoden. Nu was ze doodmoe van de uitvaartceremonie, die te vlug na de mammoetdans was gekomen, zodat haar uitgeputte lichaam niet had kunnen recupereren. Ze was op van verdriet, dat zich als gif in haar bloed had genesteld toen de jagers waren vertrokken en zij de betekenis van de voortekenen had begrepen. Verdriet dat was opengebarsten als een etterbuil toen ze Ranager dood had zien liggen.

Tegelijk was ze verlamd door woede bij de gedachte dat een van de jagers een moordenaar was. Dat hij bij de ceremonie tussen de anderen had gezeten, mee had gezongen en gedanst rond zijn slachtoffer en dat ze niet in staat was geweest hem aan te wijzen. Die woede brandde als een allesverterend vuur.

Ze beet haar tanden op elkaar. Als ze geluk had, zou Varn slapen en kon ze ongemerkt naast hem glippen. Als ze dat geluk niet had, zou ze hem opnieuw moeten ontgoochelen.

Ze sloop naar buiten. De lucht was in korte tijd dichtgetrokken en er bleef aan de hemel alleen een schemerige vlek waarachter de maansikkel zich verborg. De wolken hingen zo laag dat de takken van de dwergberken ze zouden kunnen scheuren en de lucht geurde naar sneeuw. Ze snoof diep.

De nacht was bijna om toen ze geluidloos onder de overhangende rots de grot inliep langs het vuur dat de roofdieren op afstand moest houden. De wachter knikte haar toe. Binnen waren de vuren afgedekt met as, het was er behaaglijk warm en overal klonken de geluiden van slapende mensen. Haar mensen!

Toen zag ze een schaduw wegglippen van haar eigen vuurplaats. Even was het alsof haar hart bevroor. Ze schoof naast Varn, die opgewonden ademde.

'Was dat Mirre?' vroeg ze.

Haar stem klonk schor.

Varn probeerde niet te ontkennen. Hij reageerde baldadig, en hoe vaak zou hij daar later spijt van hebben! Zichzelf verwijten dat hij Feun niet meteen in zijn armen had genomen om uit te leggen dat het allemaal een misverstand was.

'En wat dan nog?' vroeg hij. 'Je bent er nooit en als je er eindelijk bent en ik steek mijn hand naar je uit, dan krimp je in elkaar alsof ik Grouw was of Wuizel. Hoe lang is het geleden dat we nog een nacht beleefden als vroeger?'

'En dus laat jij die slet bij je kruipen!'

Haar stem was scherp als een steensplinter.

'Als het je gerust kan stellen, er is niets gebeurd. Ik heb geslapen als een beer in zijn winterslaap. Zo dood- en doodop was ik. Moe als de wereld van het dragen van de steppe en al haar kudden en de rivieren en de bergen. Toen ik wakker werd, was ze er, tegen me aan. Ik heb haar eruit getrapt. Het was niet de eerste keer dat ze het probeerde, maar het zal de laatste zijn.'

Alle emoties van Feun balden zich samen. Woede, wraakzucht, verdriet. Ze sloeg de vacht weg, greep een aantal van haar spullen, knoopte die in een buidel en liep weg. Er zat zoveel woede in haar hoofd en ze was te kwaad en te ontgoocheld om helder te denken. Ze wist nog alleen dat Varn en Mirre onder één vacht hadden gelegen, terwijl zij...

Varn kon niet roepen, dan zou hij iedereen in de grot wekken. Eén ogenblik lag hij onbeweeglijk, toen sloeg hij zijn jak om zich heen en ging haar achterna. Vlak voor de ingang van de sjamanengrot haalde hij haar in.

Ze keerde zich om.

'Ik zal je duidelijk zeggen waar het op staat', zei ze.

Bij het verdriet om Ranager had zich de pijn om het verraad van Varn gevoegd. Bij haar woede tegen de moordenaar was woede tegen Mirre gekomen.

Haar lichaam voelde als een ijskoud blok, in haar maag lag een steen en haar hart ging tekeer als een op hol geslagen paard.

Ze voelde hoe haar mond bewoog om de woorden te vormen. Haar stijve lippen, haar weerbarstige tong, haar kaken gespannen als die van een toehappend roofdier. Het leek of ze aan iemand anders behoorden. Iemand die de vreselijke woorden sprak die zij helemaal niet meende.

Ze zag hoe hij onbeweeglijk stond, met een uitdrukking op zijn gezicht alsof hij verwachtte dat elk moment een rotsblok op zijn hoofd zou neerdonderen.

Varn zag haar gespannen trekken, haar mond samengetrokken tot een mesdunne streep, haar koude, harde ogen die ze niet één keer neersloeg. Nooit had hij meer van haar gehouden dan op dit ogenblik. Nooit had ze hem zwaarder gekwetst.

'Ik dacht dat wat we samen hadden alleen voor ons was', zei Feun.

Een golf van machteloze woede overspoelde haar, haar lichaam verstrakte, haar tenen kromden op de rotsachtige bodem, haar handen balden zich krampachtig tot vuisten. Varn stak zijn hand uit, maar ze deinsde terug.

'Dat is toch zo', zei hij. 'Dat is toch zo, Feun.'

Hij probeerde alle tederheid die ooit tussen hen was geweest in dat ene woord te leggen: Feun. Nooit eerder had hij haar naam met meer liefde gefluisterd. Feun! Een eindeloze ademtocht.

Hij zette een stap vooruit.

'Waag het niet', zei ze. 'Waag het niet één stap in de sjamanengrot te zetten of ik zal de vloek van de geesten over je afroepen.'

Hij rilde en stapte achteruit.

'Ga weg', zei ze. 'Ik wil je niet meer zien.'

Maar toen Varn zich omgedraaid had en langzaam wegliep, zwaaiend alsof hij dronken was, wilde ze hem achternalopen, zeggen dat ze hem liefhad, onuitsprekelijk lief. Maar haar benen waren slap en trilden, ze zakte hulpeloos in elkaar en snikte.

'Voel je je niet goed?' vroeg Kanter, die al die tijd bij het vuur had gelegen en nu overeind kwam. 'Kan ik je helpen?'

Feun schrok. Ze had niet aan haar leerling gedacht, hoewel hij veel van zijn nachten hier doorbracht. Ze keek op. Over haar ogen lag plotseling een grijs waas als een dun laagje mist.

'Ik maak het best', zei ze. 'Maar ik wil alleen zijn. Alleen met de geesten. Neem je slaapvacht en ga naar de stamgrot.'

'Maar...'

'Nu, Kanter.'

En zo scherp en zo dwingend klonk haar stem dat hij zonder tegenspraak verdween in de nacht.

In de grot waren velen wakker geworden en hun ogen volgden hem en Varn stiekem.

*

In het laatste deel van de nacht scheurde de hemel open en kwam de sneeuw in dikke vlokken. Ze wervelden en dansten en dekten de steppe dicht, de heuvels en de kliffen. De sneeuw vervaagde alle vormen en maakte de wereld smetteloos nieuw. De zon van de nieuwe dag was niet meer dan een waterige lichtgele vlek aan de egaal grijze hemel.

Er hing een vreemd licht en een lavendelpaarse schijn vulde de grot tot in de diepste hoeken.

De stamleden liepen verbaasd naar het plateau en ademden de ijskoude lucht met diepe voldoening in: de geest van de winter, de geest van de sneeuw en de geest van het ijs waren gekomen, net zoals hun sjamaan het voorspeld had.

Ze brachten hun dag door in een paarlemoeren schemerwereld en over de dagelijkse dingen hing een wondere glans.

'Bijna als in de gletsjergrot', zei Mirka en ze hoorden het heimwee in zijn stem.

Varn begreep dat het het heimwee was van de oudere man naar de glanzende dagen van zijn jeugd. Zelf wilde hij naar Feun toe. Nu het dag was, zou het allemaal gemakkelijker gaan om het misverstand uit de wereld te helpen, maar ze had zo verschrikkelijk kwaad gekeken en hem zo ongenadig afgesnauwd, dat hij het niet durfde. Nee, hij kon beter wachten tot haar ergste woede gekoeld was.

Na de middag dook een ijzige kou van over de kliffen neer als een hongerig roofdier met scherpe klauwen. De wereld sneeuwde verder dicht en het leven kromp tot de beslotenheid van de grot en het plateau, dat ze zo goed mogelijk sneeuwvrij probeerden te houden.

's Nachts weerspiegelden de sterren in de sneeuw en boven de steppe bleef een helle klaarte hangen, zodat het zelfs met afgedekte vuren nooit helemaal donker werd.

*

Ze hadden de vrouwen en de kinderen, de bijna volwassen meisjes en de zomerjongens naar de voorraadgrot gezonden, zodat alleen de mannen overbleven. Ze zouden daar blijven tot het geroffel van op elkaar kletsende speren iedereen vertelde dat de rendierstam een nieuwe leider had. Alleen Kesse en Feun waren achtergebleven. Kesse bereidde een grote hoeveelheid van de bitterzoete drank van de alfrank die de geest verheldert en waarvan alle mannen een slok zouden drinken. Feun zat bij het vuur dat Kanter zorgzaam onderhield door er regelmatig uitgekozen blokken berkenhout op te leggen en takken van de alsemstruik, zodat de hele grot daar scherp naar geurde.

Met opgetrokken schouders en norse, bezorgde gezichten zaten de mannen in een kring. Als sjamaan had Feun een plaats tussen hen. Naast haar zaten Mirka en Frag en niemand vond dat vreemd, omdat zij van alle jagers de oudste waren. Ze droeg de sjamanenmantel en de berenkop om te tonen hoe belangrijk dit ogenblik was. Ze zag bleek met koortsige ogen en vale bloedeloze lippen, maar ze hield haar hoofd onbeweeglijk rechtop en keek met starende blik in de vlammen. Af en toe wierp Mirka haar een bezorgde blik toe.

Kesse deelde de drank rond en verdween dan geruisloos.

De zon ging onder en boven de steppe ging de dag langzaam dicht, maar ze merkten het niet, want de vreemde klaarte van de sneeuw bleef er hangen.

Feun stond op en het zachte geroezemoes verstomde. Even zwaaide ze heen en weer en Mirka wilde haar elleboog grijpen, maar met een kort gebaar weerde ze hem af. Ze stapte rond het vuur, zachtjes zingend, haar handen kronkelend in magische symbolen.

Haar stem werd luider toen ze opnieuw, voor de tweede keer in twee dagen, de namen noemde van alle stamhoofden die Ranager waren voorafgegaan. Het was alsof de grot zich geleidelijk vulde met hun schimmen.

Feun hield de ceremonie bewust kort. Haar hart was nog altijd zwaar van verdriet, maar ze had geprobeerd om alle persoonlijke gevoelens te bannen. De stam had een waardige nieuwe leider nodig. Dat was een levensbelangrijke beslissing en het was de taak van de geesten de jagers te helpen bij hun keuze. Het was haar taak de geesten daarop attent te maken. Het ritueel van de keuze was anders dan wat ze bij de oerosjagers had meegemaakt. Daar kon iedereen zichzelf kandidaat stellen voor het leiderschap. Bij de rendierstam kon niemand dat. Anderen moesten je voordragen.

Toen ze uitgeput neerzonk, was Mirka de eerste die zijn speer omhoogstak ten teken dat hij het woord wilde nemen. De vlammen deden zijn gezicht oplichten.

Hij sprak langzaam, bedachtzaam, alsof hij ieder woord wilde wikken en wegen alvorens het uit te spreken.

Zijn stem klonk zacht maar vastberaden.

'Jagers van de rendierstam... Ranager is gestorven zonder een opvolger aan te wijzen. Hij heeft geen zonen en ook zijn dochters hebben nog geen gezellen. Daarom is het de taak van de jagers een nieuwe leider te kiezen.'

Allen zaten roerloos, zich zeer bewust van de belangrijkheid van dit ogenblik. Vele jaren lang zou deze keuze het leven van de stam bepalen.

'Zelf ben ik te oud om een jacht te leiden en het leven van de stam met al zijn zorgen te regelen. Dat heeft ook Frag voor zichzelf uitgemaakt.'

Even klonk er humor in zijn stem.

'Sinds de jagers teruggekeerd zijn uit het kamp van Mirre, is hij trouwens met nog meer ijver stenen gaan zoeken.'

Toen werd hij weer ernstig.

'Er is in korte tijd heel wat gebeurd. Meer dan sommigen in hun ganse leven meemaken.'

De gespannen stilte werd nog intenser.

Hij telde het op zijn vingers af.

'We trokken weg uit de gletsjergrot en vonden dankzij Varn deze vallei van de overvloed. Na de dood van Merrit kreeg de stam een nieuwe medicijnvrouw, Feun. Nog later nam Kesse, de tweede dochter van Merrit, die taak over.'

Hij tikte op zijn wijsvinger.

'Na de dood van Mung kreeg de stam een nieuwe sjamaan. Het is ondertussen voor iedereen duidelijk dat Feun voor die taak over bijzondere krachten beschikt.'

Een tik op zijn middelvinger.

'Na Merrit en Mung is Ranager omgekomen.'

Hij keek langzaam de kring rond, elke jager om beurten recht in de ogen kijkend.

'We weten niet hoe het gebeurd is en misschien zullen we dat nooit weten.'

Geen van de jagers bewoog en Feun die hen nauwlettend gadesloeg, zag geen oog dat knipperde.

'Ranager heeft niet één opvolger aangewezen. Hij heeft wel een groep gekozen die hij een belangrijke taak toevertrouwde bij de mammoetjacht.'

Er klonk opgewonden gemompel en Gorb keek boos in het rond.

Opnieuw telde Mirka op zijn vingers af.

'Tjorn. Varn. Raven. Warre. Ugur. De verkenners die de mammoetkudde moesten opsporen en die dat ook deden. Eentje voor elke vinger van een mannenhand. Misschien moeten we een van hen kiezen, omdat het Ranagers keuze zou zijn geweest. Ik wil dat jullie hierover nadenken.'

Hij legde zijn speer neer.

Gorb sprong op en riep verontwaardigd: 'Over de vreemdeling wil ik niet eens praten. We dulden hem alleen maar omdat een van onze jonge vrouwen zo gek is geweest haar vuurplaats met hem te delen. Hoe zou hij ooit de rendier-jagers kunnen leiden?'

Zonder haar ogen op te slaan, merkte Feun hoe Ugur zijn tanden op elkaar klemde. Ze wist dat hij niet zou antwoorden. Ze had zichzelf ook afgevraagd of de oerosjager een goede leider zou zijn, net zoals ze dat voor alle andere jagers had gedaan, maar ze wist dat de stam er niet rijp voor was een vreemdeling als stamhoofd te krijgen. Ooit later, misschien, maar nu nog niet. Zelfs Frag verdedigde hem dit keer niet.

'Er zijn oudere jagers, zij moeten voor de jongeren aan de beurt komen', ging Gorb verder. 'Neem nu Varn. Het toeval heeft hem deze grotten en valleien laten ontdekken. Akkoord, maar hoe kort is het geleden dat hij nog een zomerjongen was? Zijn baard is niet eens volgroeid!'

Bran en Gart grinnikten honend, maar de anderen bewogen niet.

Hij is niet dom, besefte Feun. Hij is sluw als een vos, die zijn prooi beloert. Hij is nu al bezig eventuele tegenkandidaten uit te schakelen.

Nog was Gorb niet klaar.

'Neem Tjorn, Raven en Warre. Denken jullie echt dat zij nu al voldoende ervaring hebben om een stam te leiden die zo groot is als de onze? Mirka en Frag noemen zichzelf te oud. Ik noem Varn, Tjorn, Raven en Warre te jong.'

Hij wilde nog iets toevoegen, maar bedacht zich en ging zitten.

Frag kwam moeizaam overeind.

'Ik heb hierover nagedacht.'

Hij lachte verontschuldigend.

'Een steenklopper heeft daar tijd voor. Hij bestudeert de steen, zoekt de breukvlakken, stelt zich voor hoe het eruit zal zien als hij die ene schilfer heeft weggeklopt, maar ondertussen kan hij over andere dingen nadenken. Over de kwaliteiten waarover een leider moet beschikken, bijvoorbeeld.'

Hij pauzeerde even en de jagers wachtten geduldig.

'Hij moet eerlijk zijn, niemand voortrekken, ook zijn eigen familieleden niet. Hij moet verstandig zijn om de juiste beslissingen te nemen op het juiste ogenblik. Hij moet vaardig zijn: een goede spoorzoeker, een onverschrokken jager, maar ook steenklopper, schachtensnijder... Hij moet trots zijn en onbevreesd, behalve voor de geestenwereld. Daarvoor moet hij op goede voet staan met de sjamaan van de stam.'

Vertwijfeld hief hij zijn handen, de gekerfde palmen omhoog gedraaid.

'Zeg me, jagers van de rendierstam, wie voldoet aan al die eisen?'

Tjorn stond op.

'Ik spreek niet voor mezelf, hoewel ik daar even aan gedacht heb. Als we vandaag een oudere jager kiezen, dan zitten we hier binnen korte tijd misschien opnieuw bij elkaar. Leeftijd heeft trouwens niets met wijsheid te maken.'

Hij wierp een ironische blik op Gorb die vijandig terugstaarde.

'Ik zou het Raven en Warre gunnen. Ze weten dat, we hebben het samen uitgepraat. Maar vandaag zoeken we iemand die met het lef van de jeugd nieuwe uitdagingen aandurft. Iemand die de leiding durft te nemen als anderen terugkrabbelen en doorzet tot hij zijn doel bereikt.'

Hij liet zijn speer zakken tot die recht op het hart van een jager gericht was.

'Ik zeg dat we Varn moeten verkiezen.'

Met een ruk ging de jonge jager rechtop zitten. Hij werd doodsbleek, bang voor de vreselijke verantwoordelijkheid die Tjorn op zijn schouders wilde laden. Zijn ogen zochten die van Feun, maar ze hield de hare neergeslagen en ook haar lichaam bewoog niet.

Vooraleer de anderen konden reageren, sprong Raven op.

'Merrit was mijn moeder en Feun en Kesse zijn mijn zusters. Ik was bij Varn toen we de rovers van de oerosstam achtervolgden. Hij beet zich vast in hun spoor als een vos in dat van zijn prooi en dacht niet aan opgeven. Hij was bereid in zijn eentje een vijandelijke stam te trotseren. Ik zeg: een betere aanvoerder krijgen we nooit.'

En Warre zei: 'Eens was zijn arm sneller dan de bliksem zelf.

Zijn speer doodde de bizonstier toen diens adem al over mijn gezicht gleed. Ik ben hem mijn leven verschuldigd en ik zeg: nooit zal de rendierstam een beter stamhoofd hebben.'

Mirka, Frag, Tjorn en Raven sprongen op en kletsten hun speren tegen die van Warre en een na een volgden de anderen, zelfs Bran en Gart, tot de grot gevuld was van het gekletter. Alleen Gorb bleef wrokkend zitten. Ook Varn zelf bleef onbeweeglijk zitten.

Langzaam kwam Feun overeind. Het lawaai verstomde. Ze zag nog bleker, fragiel en breekbaar als een papaver op de stormwind. Plechtig strekte ze haar armen boven het vuur, de sjamanenmantel als brede donkere vleugels om haar heen.

Op dat moment stak buiten een hevige wind op die de sneeuwvlokken meesleurde in een wervelende dans en ze naar binnen woei, zodat het leek alsof de vlammen oranje en geelroze vleugeltjes kregen.

'Varn, zoon van Jogen en Brente, broer van Tjorn en Aske en dus ook van Ymir en Warre...' – haar stem klonk verrassend krachtig, hoewel ze na deze opsomming even aarzelde –

'...gezel van Feun die sjamaan is van de rendierstam...'

Ze hief de sjamanenstaf en klopte er drie keer mee op de vloer.

'...de jagers hebben jou als leider gekozen en de geesten...'

Even leek het of ze op de vleugels van haar jas omhoog zou stijgen, toen hield ze haar handpalmen bezwerend boven het vuur dat langzaam in elkaar zakte.

'...de geesten hebben de keuze van de stam aanvaard. Varn, leider van de rendierstam.'

Gejuich barstte los. Iedereen verdrong zich om Varn, klopte hem op de schouders en vertelde hem dat ze hieraan nooit hadden getwijfeld.

Terwijl de vrouwen en de kinderen de grot binnenstormden,

werden de eerste geschenken aangeboden. Frag had een mes geklopt uit de gele hoornkiezel die ze van Mirres familie hadden meegebracht, zo fijn dat de gekartelde bloedrode ader in een perfecte lijn de snede vormde. Varn bekeek het sprakeloos. Hij blies op de snede zodat het mes doordrenkt werd met de warmte van zijn adem en vol leven stroomde. Kesse gaf hem een bundeltje kruiden waarbij ze samenzweerderig lachte. Tjorn had een speerschacht rechter dan een manestraal en Ymir een snoer van leeuwentanden. De geschenken stapelden zich op. Als laatste stond Gorb voor hem met een van haat verwrongen gezicht.

'Denk maar niet dat ik het hierbij laat', gromde hij.

Varn keerde zich om en zocht Feun, maar die was verdwenen. Zijn schouders zakten. Ze had alle trots en alle vreugde met zich meegenomen.

7

Babbe was de vrouw van Wuizel geweest. Na de dood van
Merrit was ze ingetrokken bij Gorb als tweede vrouw na Dagte
omdat geen enkele andere jager haar een plaats bij zijn
vuurplaats had gegund. Ze was een stille, wat domme vrouw
die Wuizel en later Gorb altijd onderdanig had gediend. Eens
had Merrit haar een angsthaas en een sloof genoemd en ze
had het niet eens erg gevonden.
Nu draaiden haar gedachten in het rond als een wolvenjong
dat spelend achter zijn pluizige staart aan zit.
Een dag eerder had Gorb haar meegenomen naar de rivier om
zijn jak uit te spoelen. Er zaten bloedvlekken op, maar dat was
voor een jager heel gewoon. Toch had hij aangedrongen dat ze
zich haastte. Hij was zenuwachtig en nog prikkelbaarder dan
gewoonlijk.
Ze had erg voorzichtig achter hem aan gelopen, want de
platgetrapte en verijsde laag sneeuw was gevaarlijk glad. Een
paar keer was ze uitgegleden op haar verrafelde laarzen en
had hij haar uitgescholden voor stom wijf.
Doordat de grond onder de sneeuw nog niet diep bevroren
was, was ze erin geslaagd wat wortels van het zeepkruid uit te
graven en die te pletten tussen twee stenen.

In een grote uitgeholde kei in de luwte van de rivier had ze het dunne laagje ijs gebroken en met de pulp sop gemaakt. Daarmee had ze het jak ingewreven, maar de bloedvlekken verdwenen niet. Ze had geschuurd en geschrobd tot haar handen blauw zagen van de kou, maar de roodbruine vlekken verdwenen niet. Het was integendeel alsof ze nog duidelijker tevoorschijn kwamen. Ze had opgekeken van haar werk en bijna had ze het jak in de rivier laten vallen daar waar de stroming het kon meevoeren. Er was een gat in de sneeuwlucht gekomen en daar glansde de hemel helderroze. Alsof het bloed...

Gorb had al die tijd staan kijken met bloeddoorlopen ogen en opeengeklemde kaken.

'Voor het bloed van sommige diersoorten moet je een ander kruid gebruiken', had ze gezegd, angstig naar hem opkijkend. 'Mijn moeder...'

'Laat je moeder erbuiten', had hij gesnauwd. 'Ze was nog dommer dan jij, hoewel ik niet weet hoe dat zou kunnen.'

Hij had zijn ogen tot gemene spleetjes geknepen.

'En voor mensenbloed?'

'Ik weet het niet. Frag snijdt vaak in zijn vingers met steensplinters en dan komt er soms een hoop bloed op zijn voorschoot. Als die helemaal stijf staat, doet Nerd er iets mee. Ik kan het haar vragen.'

Hij had niet eens geantwoord. Nijdig had hij het jak uit haar handen gegrist en vloekend was hij het pad naar de stamgrot opgelopen.

Over zijn schouder heen had hij nog geroepen: 'Je houdt je mond hierover! Begrepen? Je praat er met niemand over. Als je het toch doet, dan vermoord ik je. Ik knijp je strot dicht of ik sla je hersens in met...'

Toen had hij plotseling gezwegen alsof zijn adem werd afgesneden.

En daar, met haar voeten in het ijskoude water, de handen vol wit schuim, slordige haarpieken hangend voor haar ogen, had Babbe voor het eerst in haar troosteloze slavenleven een gedachte gekregen die van haar alleen was. Het idee was zo verschrikkelijk en er zaten zoveel onvoorziene kanten aan dat ze letterlijk verstijfde.

Achteraf had ze wat rondgescharreld in de grot terwijl Gorb haar met achterdochtige ogen volgde en ze had de hele nacht niet geslapen. Verstijfd van angst had ze daar gelegen.

Toen Varn het pad naar de rivier afliep, volgde ze hem als een kind dat achter zijn moeder aan dribbelt. Ze durfde hem niet aan te spreken, maar toen ze hem bleef volgen, vroeg hij korzelig: 'Wat heb je toch? Waarom loop je voortdurend achter me aan?'

Lange slierten dik zwart haar vielen over haar gezicht.

Waarom bindt ze het niet bij elkaar, dacht hij geërgerd.

Toen kwam haar verhaal, met horten en stoten. Gorb, de bloedvlekken, het zeepkruid, ik sla je de hersens in...

Eerst begreep Varn er niets van en ongeduldig wilde hij haar wegsturen, maar toen sperde hij zijn ogen wijd open.

'Bedoel je...'

Ze knikte heftig, bang dat de gedachte in haar hoofd zou verdampen, zoals dat zo vaak gebeurde.

'Bedoel je dat Gorb...?'

Hij schudde haar hardhandig heen en weer.

'Zeg op, Babbe. Zeg het met jouw eigen woorden zodat ik niet meer kan twijfelen. Zeg het hardop, dan kan ik met jouw verhaal naar de jagers stappen.'

'Ik denk dat Gorb...'

Ze raakte de draad van haar zin kwijt en herbegon, stotterend, kwijlend met haar tandeloze mond, wanhopig proberend de juiste woorden te vinden.

'Ik denk dat Gorb... die steen waarmee Ranager gedood werd... mensenbloed zei hij.'

Varn stond onbeweeglijk. Zijn adem vormde witte wolkjes in de vrieskou.

'Begrijp je wel wat je zegt, vrouw?'

'Ik weet het niet meer', jammerde ze. 'Mensenbloed zei hij...'

Varn wist dat een van de jagers de dader moest zijn. De steen, de wond aan het achterhoofd... Gorb die bij een jacht altijd achteraan kwam... Gorb die een hekel had aan Ranager omdat die zo duidelijk de voorkeur gaf aan Ugur... Gorb met zijn gemene, geniepige, gluiperige, boosaardige karakter... Gorb, de schoft, de ploert, de schurk, die tot alles in staat was...

Hij sloot zijn ogen en probeerde alle gedachten een plaats te geven. Als een van de jagers Ranager gedood had... Nee, een van hen wás de moordenaar, daar bestond geen twijfel over. Hij herinnerde zich de zoektocht naar Feun en Kesse toen die ontvoerd waren door de oerosjagers. Gorb had de anderen toen overgehaald om terug te keren, om Feun en Kesse in de steek te laten. Hij was laf en heimelijk en afgunstig. Zijn geest was bedorven als vlees dat vol maden zit.

Varn stuurde Babbe weg.

'Je zwijgt hierover. Tegen iedereen. Begrepen? En je zorgt ervoor dat Gorb geen achterdocht krijgt.'

Zelf liep hij terug naar de stamgrot. In zijn hoofd schoten de vragen heen en weer als bliksems in een onweerswolk. Hij ademde diep om zichzelf onder controle te krijgen. De ijskoude lucht brandde in zijn longen.

Toen wist hij wat hem te doen stond. Als hij Gorb met Babbes woorden confronteerde, zou hij keihard ontkennen. Nee, hij moest het anders aanpakken. Hij zou de geest van Ranager niet ontgoochelen.

*

Feun was samen met Kesse druk bezig met het controleren van hun voorraad kruiden. Al wat schimmelde moest er meteen uit. Terwijl buiten alles in de ijzige greep van de winter lag, hing om hen heen een doordringende, bedwelmende geur van zomer en herfst, van zon en aarde.

'Varn is ongelukkig', zei Kesse. 'En jij bent ongelukkig.'

'Hij heeft met Mirre geslapen.'

'Dat hebben wel meer mannen gedaan. Daarom is hun vrouw nog niet weggelopen.'

'Ugur niet.'

'Nee. Ugur niet. En weet je waarom niet? Ik heb met Mirre gepraat. Ik heb haar gezegd dat ik haar onschuldige ogen uitkrab als ze het zou proberen. Aan mijn gezicht kon ze zien dat ik het meende. Dat heb jij niet gedaan. Je had daar geen tijd voor. Jij moest zo nodig in de sjamanengrot zitten. En daarbij, Mirre is bij hem gekropen toen hij sliep, uitgeput van de mammoetjacht, de dodentocht met Ranager en de dodenwake. Hij heeft geen vinger naar haar uitgestoken en heeft haar weggejaagd toen hij wakker werd. Wat kun je hem dan kwalijk nemen? Sindsdien bekijkt hij Mirre met ogen vol moordzucht. Als jij niet vlug terugkomt, sta ik niet voor hem in. Dan krijgen we een tweede doodslag.'

Toen stond Varn voor hen.

'Ik wil met je praten', zei hij.

Ze keken elkaar niet aan, maar ze waren zich wel hevig bewust van elkaars aanwezigheid.

Kesse keek hoofdschuddend toe.

Feun knikte.

'Dat kan.'

'Alleen.'

'Kesse mag best horen wat jij...'

'En niet hier.'

Zijn stem klonk afgebeten kort.

Feun kwam overeind.

'Buiten?'

'In de sjamanengrot.'

'Je hebt een hekel aan de sjamanengrot.'

'Ja.'

'En toch wil je...'

'Ja.'

Ze liepen zwijgend over het plateau. Er was verse sneeuw gevallen en daarin waren nog geen sporen. Eén keer gleed Feun uit en hij greep haar elleboog. Feun voelde het als tintelingen van genot die over haar lijf liepen, maar ze rukte zich los.

In de grot wroette ze in de as tot ze enkele nog gloeiende kooltjes vond, blies erop en legde er distelpluis en dunne takjes overheen. Vlammetjes dansten op. Ze huiverde en trok haar jak dicht om zich heen.

Toen stonden ze onwennig tegenover elkaar.

'Wel?'

'Babbe heeft me opgezocht. Ze heeft met me gepraat.'

'Babbe! Uitgerekend Babbe. En jij hebt naar haar geluisterd.'

'Ja.'

'Dan ben jij misschien wel de eerste die dat doet.'

'Ja.'

'Praatte ze met Varn de jager of met Varn de leider van de rendierstam?'

'Met beiden, denk ik.'

Omdat Feun niet verder vroeg, zei hij: 'Ze denkt dat ze weet wie Ranager gedood heeft.'

Feuns hoofd snokte omhoog. Voor het eerst keek ze hem recht aan. In haar blik maakte verdriet plaats voor woede. Geen ogenblik sinds de dood van Ranager had de gedachte aan wraak haar verlaten.

Ze ademde diep vooraleer ze de vraag stelde.

'En wie...?'

'Gorb.'

Met enkele woorden vertelde hij het verhaal. Daarna hing een onwezenlijke stilte om hen heen.

Ze gingen zitten, recht tegenover elkaar.

'Misschien heeft ze gelijk', zei Varn. 'Uiteindelijk heeft iemand het gedaan. Een jager die bij de jacht aanwezig was. En Gorb...'

'Hij zal het nooit toegeven.'

'Nee. Daarom ben ik naar jou gekomen. Misschien kunnen we met de hulp van de geesten...'

'Zo zit het dus', zei Feun vol bitterheid. 'Je bent niet naar mij toe gekomen, naar Feun, de vrouw met wie je altijd alles gedeeld hebt, je angsten en je verwachtingen, nee, je bent naar de sjamaan gekomen. Daarom moest het gesprek hier.'

'Feun en de sjamaan, dat is toch hetzelfde', verdedigde hij zich wanhopig.

'Is dat wel zo, Varn?'

Ze sloot haar ogen om zijn naam uit te spreken en rekte de klanken. Hoe lang was het geleden dat ze ze geproefd had op haar lippen?

'Ja, Feun.'

Hij wilde opspringen en haar in zijn armen nemen, maar haar strenge gezicht weerhield hem.

'Ik wil dat je terugkomt', zei hij. 'Mijn nachten zijn lang en eenzaam.'

Ze wilde honend vragen: 'Eenzaam?', maar ze beet op haar tong.

Hij knikte.

'Ik begrijp het. Ik had gehoopt...'

Hij haalde diep adem.

'Dit heeft lang genoeg geduurd, Feun. Het is niet goed voor de stam. Het is helemaal niet goed voor ons. Als de moordenaar ontmaskerd is, zal ik opnieuw naar je toe komen om te zeggen dat je samen met de stam een nieuwe leider zult moeten kiezen.'

Ze slaakte een verschrikte kreet en sloeg haar hand voor haar mond.

'Een nieuwe leider, Varn?'

'Ik ga weg. Ik kan het niet langer verdragen jou te zien en niet met je te kunnen praten en je niet aan te raken.'

Feun kreunde en kromp in elkaar.

'Nee!'

Al haar hoogmoed en gekwetste trots en al haar waardigheid van sjamaan vloeiden uit haar weg. Heel even was ze weer het meisje dat op een zomernacht naar de ster met de staart van vuur had gekeken en dat haar vriend eropuit had gestuurd voor een ongelooflijk avontuur.

'Nee, Varn.'

Hij staarde haar aan. Ze stond in de schijn van het stervende vuur en het zilveren paarlemoerlicht van de sneeuw en nooit was ze mooier, nooit was ze begeerlijker geweest, nooit had hij haar meer liefgehad dan op dit ogenblik.

Hij stond met hangende schouders en gespreide handen.

'Ik kan op deze manier niet verder leven, Feun.'

Ze sloeg haar ogen neer en slikte om alle emotie uit haar stem te bannen.

'We hebben nu een taak, Varn. Die is voor de stam belangrijker dan de vraag waar de sjamaan haar nachten doorbrengt.'

'En daarna, Feun? Als dit voor de stam en de geesten zijn beloop heeft gekregen?'

'Dan', zei ze zachtjes, 'zullen de leider en de sjamaan hier opnieuw samen bij het vuur zitten.'

Hij wilde aandringen, maar ze zei: 'Ga nu. Ik moet nadenken en me voorbereiden, grondiger dan ik ooit gedaan heb. Dat ben ik Ranager verschuldigd.'

*

Vroeg in de ochtend zaten ze onder de overhangende rots, daar waar de bijeengewaaide stuifsneeuw door de warmte van de grot gesmolten was en waar kleine beekjes van dooiwater ritselden. Met korte, afgebeten woorden had Varn alle mannen bij elkaar geroepen, zelfs de zomerjongens. Hij had hun gevraagd hun speren, messen en slingers bij hun vuurplaatsen te laten. Ze hadden verbaasd gekeken bij dit ongewone bevel van hun nieuwe leider, maar ze hadden gehoorzaamd.

Feun stond in het midden van de kring. Ze droeg de berenhuid en de grimmige berenkop die uitsluitend bij speciale gelegenheden hoorden. Dat maakte de jagers nog nieuwsgieriger.

Ze wierp een handvol natte wilgenbast op een hoopje gloeiende sintels die de oudste meisjes hadden aangebracht. De rook zweefde vlak boven de grond als mist die op herfstavonden van over de rivier kan komen aandrijven.

Op bevel van Feun zat Kanter verderop. Hij klopte op de trom. Geen melodie, maar een monotone herhaling van altijd dezelfde dreunende slagen die dof weergalmden in de hoofden en het bloed in de aderen deed stollen. Tok. Tok. Tok. Pauze. Tok. Tok. Tok. Het geluid van de dood zelf. Het drong door tot in het merg van hun gebeente.

De mannen zaten met gebogen hoofd, onzeker door het onverwachte van de ceremonie en door de dodelijke ernst van hun leider en hun sjamaan.

Feun gaf Kanter een teken. Het getrommel stopte, de laatste slagen stierven uit in de verte.

Ze hief het hoofd. De berenkop wiebelde. Haar rechte, trotse gestalte verleende haar een majestueuze aanblik. Varn voelde een stekende pijn in zijn borst.

Het leek of ze voor zichzelf sprak, haar stem een hese fluistering, maar even doordringend als de roep van een roofdier ver weg op de steppe.

'Geesten zijn ongrijpbaar. Onaantastbaar ook. Niemand kan ze nog iets aandoen. Je kunt ze niet vastpakken, je kunt ze niet beschermend koesteren, maar evenmin platknijpen. Ze hebben het leven en deze wereld met al zijn zorgen en emoties achter zich gelaten. Ze hebben ze met hun aardse schouders voorgoed van zich afgeschud.'

Even klonk er geritsel in de struiken waarvan iedereen opschrok.

'Allemaal. Alleen Ranager niet. Op hem weegt nog een last. Als hij gedood was door een mammoet, dan zou zijn geest zich verzoenen met die van het dier en samen zouden ze jagen in de wereld na deze. Maar hij werd gedood door een jager en die loopt nog onbezorgd door de stamgrot.'

Plotseling was er onrustig geschuifel en hijgend ademen.

Haar stem verhief zich.

'Hij zit in deze kring.'

Het geschuifel hield op en het was alsof er door de jagers niet meer geademd werd.

'Elke nacht word ik wakker en in het zingen van de sterren hoor ik Ranagers stem. Ze roept me. Feueueun! Telkens opnieuw. Feueueun! Ik weet wat hij wil.'

Ze was een trotse, imponerende gestalte en allen keken met eerbied naar haar op.

'Wraak!' fluisterde ze, het woord rekkend tot de klank hen volledig omvatten. 'Wraak!'

Het klonk angstaanjagender dan de luidste schreeuw en bij de meeste jagers liepen rillingen over de rug.

'Ik heb twee dagen gevast en mijn lichaam gereinigd in de smetteloze sneeuw en in het ijzige water van de rivier. Ik heb de namen genoemd van Ranagers voorgangers tot in de nevelen van de tijd. Al de namen die Mirka me opgesomd heeft. Ik heb raad gevraagd aan al diegenen die voor hem de stam geleid hebben in de gletsjergrot. Ik heb hun stemmen gehoord. Ze kwamen van ver. Oneindig vér! Eén naam weerkaatste telkens weer tussen de sterren, rolde over de heuvels tot tegen deze rotsen. De naam van een jager van de trotse rendierstam. De naam van de onverlaat die zijn eigen stamhoofd doodde.'

Een korte roffel dreunde over hun hoofden. De stilte erna was nog dieper.

In de kring stond één adem stil, maar niemand bemerkte het,

niemand bewoog. Alleen Varn, die vanonder zijn wenkbrauwen naar de jager loerde, had het opgemerkt. De anderen
zaten roerloos, het blauwige licht van de sneeuw op hun
gezichten, waardoor het leek of ze zelf gestorven waren,
geesten in de winternacht.

'Ik heb een verhaal', zei Feun zacht. 'Het verhaal van een stam
die een nieuwe leider moest kiezen.'

Ze luisterden aandachtig, hoewel ze niet begrepen waar hun
sjamaan naartoe wilde. Ze hadden toch al een leider gekozen.
Varn was hun leider.

'Die stam bezat een machtige magiër, Durandee was haar
naam.'

Gorb blies misprijzend.

'De oerosstam', zei hij. 'Bezit onze eigen rendierstam niet
genoeg verhalen? Mirka kent er meer dan er winteravonden
zijn in de jaren van een mannenhand.'

Er was onrustig geschuifel omdat hij het waagde hun sjamaan
te onderbreken. Hij besefte het en boog opnieuw het hoofd.
Feun lette niet op hem en sprak rustig verder.

'Vannacht, toen iedereen sliep, heb ik in de sjamanengrot met
de geesten van onze voorouders gepraat. Ook met de geest
van Ranager.'

Ze liet haar woorden zweven in de stilte vol ontzag.

'Ik ben de weg van de doden gegaan. De weg die Durandee
me getoond heeft. Ik kan de gevaren niet beschrijven, want
ze zijn het grootste geheim van de geesten, maar weet dat
een oningewijde er nooit levend doorheen zou zijn gekomen.'
De stilte werd nog dieper, alsof alle stamleden opgehouden
hadden met ademen, de wind met waaien, de kleinste dieren
met ritselen.

Feun stond langzaam op en strekte haar armen naar het vuur.

Haar silhouet stak scherp af tegen de donker wordende paars-
rode avondhemel.

De vlammen stegen omhoog, gloeiden even terwijl oranje
vonken naar de eerste sterren sproeiden en verlichtten toen
één gezicht, terwijl alle andere jagers in de schaduw zaten.
Een kreet van verrassing weerklonk.

'Gorb!'

'Gorb', zei Feun. 'Vannacht heeft Ranager een kronkelend
slangetje van vuur naar zijn vuurplaats gestuurd om de
moordenaar aan te duiden.'

Ook Varn riep: 'Gorb heeft Ranager gedood! Ik weet het.'

Gorb sprong op.

'Hij kan het niet gezien hebben', protesteerde hij heftig. 'Hij
had zijn speer naar de mammoet geslingerd. Hij greep net een
tweede. Hij heeft niet eens omgekeken. Hij viel...'

Abrupt hield hij op. Alle jagers zogen hun adem van
verrassing in. Feun zuchtte diep van voldoening.

Gorb stond plotseling eenzaam. Langzaam drong het tot hem
door dat hij zichzelf verraden had.

'Ik bedoel...' zei hij met schorre stem, 'dat hij niet achterom
heeft gekeken toen Ugur hem met die steen...'

Alle jagers strekten zwijgend hun arm met uitgestoken
wijsvinger in een eenparige beschuldiging naar hem uit.

'Jullie vergissen je', riep Gorb wanhopig. 'Sinds wanneer
geloven jullie eerder een vreemdeling dan een eigen
stamjager? Bran en Gart, jullie kunnen voor me getuigen!'

Maar de twee bogen het hoofd, hun arm net als de anderen
beschuldigend uitgestrekt.

'De stam stoot jou uit, Gorb, zoon van Barge en Tense', zei
Feun.

'Jij,' zei hij woedend, 'uitgerekend jij. Ik heb je altijd

beschouwd als mijn dochter en je samen met Merrit opgevoed, ook al was je vaak onhandelbaar. Jou en Kesse. En nu beschuldig je mij en stoot je me uit de stam. Jij, uitgerekend jij.'

Het was alsof hij met zijn woorden de onherroepelijke beslissing wilde uitstellen.

Feun sprak verder, haar stem vlak, maar koud als de gletsjerwind.

'Vanaf nu ben je geen jager meer van de rendierstam.'

Hij werd doodsbleek en rilde, alsof hij pas door deze woorden echt begreep wat er met hem gebeurde.

'Maar... de stam... Bran en Gart, jullie moeten vertellen dat de vreemdeling...'

'Het is nooit eerder gebeurd', zei Mirka. 'In al mijn verhalen – en misschien ken ik er evenveel als er sterren aan de winterhemel staan –, in al mijn verhalen is nooit een jager de moordenaar geweest van zijn stamhoofd.'

Het woord bleef tussen hen hangen en leek Gorb te omhullen als een donkere aura. Moordenaar!

Varn gaf een teken aan de zomerjongens. Ze liepen de grot in en keerden terug met bundels speren. Ze gingen de kring rond en overhandigden elke jager zijn eigen speer. Die van Gorb gaven ze aan Varn.

Hij hield hem voor zich met gestrekte armen, brak hem met een luide krak op zijn knie en gooide de stukken in het vuur.

'Als leider van de rendierstam door jullie gekozen, stoot ik Gorb uit. Hij zal moeten wegtrekken van deze valleien, zo ver dat hij nooit nog terug kan keren. De geesten van de stam...'

Het was een lange spreuk, die Feun hem had voorgezegd, en hij sprak ze langzaam uit, nadruk leggend op elk afzonderlijk woord, ervoor zorgend geen enkel detail te vergeten.

De klanken waren even scherp en dodelijk als obsidianen messen en speerpunten.

'De jagers, hun vrouwen en hun kinderen zullen jouw naam vergeten. Je zult nooit bestaan hebben. Alleen Mirka zal hem onthouden om hem te gebruiken in het gruwelijkste van al zijn verhalen.'

Langzaam achteruit stappend gingen Varn, Feun en de jagers met gestrekte speren de grot in tot alleen Gorb eenzaam bij het stervende vuur stond.

Met een ruk slingerde Varn een oude speer tot vlak voor zijn voeten.

'Je vrouwen zullen je een zak met voorraad brengen en deze speer mag je hebben om je te verdedigen tegen roofdieren. Eén dag voorsprong krijg je. Wie jou daarna nog ontmoet, heeft het recht je te doden als een kreupele prooi.'

Dagte en Babbe kwamen naar buiten en legden met gebogen hoofd een zak en een slaapvacht naast de speer. Toen haastten ze zich weer naar binnen.

'Ik zal jullie breken als een dorre tak, een voor een', brulde Gorb. Hij grabbelde alles bij elkaar en verdween met lange passen in de richting van de rivier. Op het eind gleed hij uit en schoof op zijn rug tot vlak bij de oever.

In de grot heerste opgeluchte stilte.

*

De avond viel. Varn tuurde naar buiten. De dalen waren als kommen gevuld met paarsblauwe schaduwen. Hij sloot zijn ogen.

Morgen. Morgen zou hij terugkeren naar de sjamanengrot, zoals Feun dat met hem had afgesproken.

Dan zullen de leider en de sjamaan hier opnieuw samen bij het vuur zitten.

Ze zouden praten en achteraf zouden ze lachen om het misverstand dat hen een tijdlang als een wig uit elkaar had gedreven.

Hij liep de grot uit tot bij de eerste sneeuwrichel. De sterren weerkaatsten in de sneeuwkristallen en het was alsof hemel en aarde één groot licht vormden. Zijn blik viel op de rendierschedel die nu een witte kap droeg, waardoor hij er nog grotesker uitzag.

'Geest van de stam, help me', fluisterde hij.

De holle, donkere ogen die nu nog vijandiger leken, staarden strak terug. Varn huiverde. Als ook de geesten zich tegen hem keerden...

Zonder nog een blik op de sjamanengrot te werpen, liep hij weer naar binnen, tussen de afgedekte vuren door en kroop onder zijn slaapvacht. Zijn slapen klopten pijnlijk en zijn ogen brandden.

Hij sloot ze en daarom zag hij de schim niet die tussen de afgedekte sintels doorschoof.

Plotseling lag een hand vederlicht op zijn schouder. Zijn huid zinderde, de lucht was vol prikkelende geuren alsof de bliksem vlakbij was ingeslagen, zijn hart bonsde, want zonder zijn ogen te openen wist hij met absolute zekerheid dat zij naar hem toe was gekomen.

'Varn...'

'Feun!'

Hij greep haar arm. Ze stapte uit haar jak en gleed naakt naast hem onder de vacht.

'Ik ben zo dom geweest', fluisterde ze. 'Kun je het me ooit vergeven?'

Haar huid was zacht en warm.

Toen waren tussen hen geen woorden meer nodig, maar om hen heen was goedkeurend gemompel.

*

De volgende ochtend fluisterde Feun tegen Varn: 'Ik heb geen echte magie gebruikt. Wat ik zei over het vlammetje dat 's nachts naar Gorb kronkelde, heb ik verzonnen.'

Ze zweeg en kroop nog dichter tegen hem aan. Haar stem was slechts een ademtocht.

'Het was een leugen om bestwil en ze heeft gewerkt, maar het steekt me, want Durandee kan dat wel; je hebt het zelf gezien bij de keuze van een nieuwe leider.'

Varn lachte zachtjes. Haar haren kriebelden zijn neus en hij had alleen maar zin om haar te strelen, overal over haar heerlijke lichaam. Maar hij begreep dat dit belangrijk voor haar was.

'Ik weet precies hoe Durandee dat gedaan heeft', zei hij. 'Ik heb haar vooraf een poeder zien strooien naar de plaats waarvan ze wist dat Ferre er zou zitten.'

'Dat verzin je maar, Varn.'

'Nee. Ik heb het pas achteraf begrepen. Op het ogenblik zelf was ik even sterk onder de indruk als jij. Dat kwam door Durandees persoonlijkheid.'

Hij pauzeerde even.

'Misschien is dat het echte kenmerk van haar magie: de macht die ze over de geest van de mensen heeft.'

En Feun hoorde Durandees stem: *Soms moet je de geesten een handje toesteken.* Was dat wat ze gedaan had, de geesten een handje helpen om Ferre als leider te kiezen?

'Is dat echt waar, Varn?'

'Ja. En jouw leugen was net hetzelfde. Gorb geloofde je en verraadde zichzelf. En ook alle anderen geloofden je. En toch...'

'Ja?'

'Jouw magie gaat verder, Feun. Je bent echt wel een sjamaan met magische krachten. Ik heb jou de storm zien bedwingen. Dat was... angstaanjagend. Een belevenis die ik hoop nooit meer mee te maken. En jij lokt prooien naar je toe. Ik weet niet echt hoe de tekeningen eruitzien die jij maakt in de geheime sjamanengrot of hoe ze werken, en ik wil het ook niet weten. Maar ooit heb ik de tekeningen gezien die je maakte op de scherven leisteen. Weet je het nog? De wolf en het hert! En ik heb de mammoets gezien die jij naar ons toe lokte.'

Hij bracht zijn mond nog dichter bij haar oor en werd bedwelmd door haar geur.

'Je betovert ze zoals je mij betovert.'

Ze lachte diep gelukkig.

'Dan wil ik altijd jouw sjamaan blijven.'

8

Er was voor Varn helemaal geen reden om eropuit te trekken. Er was voedsel voor een lange, kommerloze winter en er zouden voldoende konijnen, grondeekhoorns en sneeuwhoenders zijn om afwisseling in het eten te brengen. Er waren ook altijd kleine problemen die hij als leider moest oplossen. Waren er genoeg speerpunten voor het volgende jachtseizoen en kon Frag zijn gierig bewaakte voorraad stenen beter gebruiken voor bijlen, messen en schrapers? Moesten de voorraden noten en wortels nu al aangesproken worden, zodat de vrouwen de eerste winterkoeken konden bakken? Hij luisterde naar de problemen, dacht erover na en nam een beslissing waar iedereen zich bij neerlegde met een gemak waarover hij zich nog altijd verbaasde.

Maar toch wist hij sinds Feun naar hun vuurplaats was teruggekeerd, geen raad met de energie van zijn jonge lijf.

De winter was altijd al het seizoen waarin ruzies oplaaiden als felle vlammen in een vuur. Dagenlange sneeuwbuien waardoor iedereen moest binnenblijven en op elkaars lip zat, verhitten de gemoederen. Sinds de komst van Mirre was het nog veel erger geworden. Het leek of alleen al haar aanwezigheid de ruzies opstookte. De vrouwen keven met luide stemmen en de mannen gromden en snauwden en liepen elkaar voor de voeten. Varn had alle moeite om telkens weer de vrede te herstellen.

Ondanks de sneeuw verdween Mirre regelmatig en ze bleef dan vaak een halve dag weg. Ze nam altijd haar werpspiesen en slinger mee, maar keerde telkens zonder buit terug.

Feun verdacht haar ervan dat ze Wolf opzocht en met hem joeg, hoewel ze zich niet goed kon voorstellen hoe dat in zijn werk kon gaan. Ze wilde er niet met Varn of de andere jagers over praten, want die zouden haar alleen maar uitlachen.

Varn zou zeggen: 'Je kunt wel wolven afbeelden, Feun, zo echt dat je zou zweren dat je ze kunt horen huilen, maar ermee jagen?'

Omdat ze in de grot weinig taken had, liet iedereen Mirre begaan. Alleen 's avonds als Wolf huilde naar maan en sterren, zodat de stamleden de huiveringen over hun ruggengraat voelden lopen, werd ze gemeden en wierpen velen haar boze blikken toe.

Feun nam zich voor met haar te praten, maar altijd kwam er iets tussen, zodat het telkens opnieuw werd uitgesteld.

Tot Brante Feun weer opzocht. Ze hield haar handen beschermend over haar ronde buik.

'Er is iets mis', zei ze. 'Ik heb er met alle vrouwen van de stam over gepraat, omdat ik jou of Kesse niet wilde lastigvallen, maar geen van hen kan me helpen.'

Ze hief haar handen in een verontschuldigend gebaar met de palmen naar boven. Ze had die rood gekleurd, zoals zwangere vrouwen dat vaker doen.

'En dus kom ik ten einde raad naar jou.'

'Ik zal mijn best doen', glimlachte Feun geruststellend. Ze voelde dat Brante weinig op haar gemak was.

'Het is die verdomde wolf. Ik haat hem. Mijn baby beweegt alleen maar als dat ondier huilt.'

'O, o', weerde Feun haar af. 'Rustig, Brante.'

Stilletjes gaf ze Kesse een teken om erbij te komen.

'Ga even liggen. Kesse en ik zullen je onderzoeken. Als ik het goed begrepen heb, beweegt je baby. Dat is toch prachtig.'

Brante ging liggen en sloeg haar jak open. Haar harde bruine buik glansde. Feun en Kesse betastten hem met voorzichtige vingers en knikten elkaar toe.

'Dat wordt een flinke jager', zei Kesse. 'Nu is hij rustig, maar als hij inderdaad beweegt, is er niets mis mee.'

'Dat is het nou net', jammerde Brante. 'Hij schopt als een wildeman, maar alleen als de wolf huilt.'

Ze keken haar ongelovig aan.

'Alleen als...?'

'Alleen als Mirres wolf huilt. Bij de eerste tonen gaat hij tekeer alsof hij er meteen uit wil. En als het gehuil wegsterft, neemt het stampen af en even later is het alsof hij nooit heeft bewogen. Dat blijft dan de hele tijd zo.'

'Dat is vreemd,' gaf Kesse toe, 'maar...'

Brante kwam overeind en sloeg haar jak dicht.

'Ik ben bang. Bang dat Mirre iets heeft gedaan om mij en mijn kind ongeluk te brengen. Ik weet dat ze me haat. Ik ben bang dat de boze geest van de wolf in mijn kind is gekropen.'

'Dat is onzin', zei Kesse.

Maar daar was Feun niet eens zo zeker van. Ze had voldoende ervaring met boze en andere geesten om niets uit te sluiten.

'Ik zal met Mirre praten', zei ze, hoewel ze er helemaal geen idee van had hoe ze dit moest aanpakken en wat Mirre eraan zou kunnen doen.

Ze sprak er Varn over aan. Hij schudde het hoofd.

'Ik word hier doodmoe van', klaagde hij. 'Kibbelende kinderen, zwangere vrouwen met waanbeelden, ruziënde jagers! Als die vervloekte winter nog lang aanhoudt, gaan ze op de vuist, hier in de stamgrot zelf. Ik wou dat de geesten een andere leider hadden uitgekozen of liever nog dat Ranager nog leefde, want die wist overal raad op.'

Om al die redenen samen wilde hij een dag alleen zijn, wild opsporen en doden en 's avonds met zijn buit terugkeren en die neerleggen aan Feuns voeten en haar ogen zien opgloeien van trots. Een geschenk waarvan ze zou begrijpen dat het niet zomaar werd gegeven, dat het een bezegeling zou zijn, dat het... ach, een jager vond daar nu eenmaal geen woorden voor, maar Feun zou het gewoon begrijpen. Hij had nog geaarzeld om Ugur mee te nemen, want hij kon erg goed opschieten met de zwijgzame gezel van Kesse, maar uiteindelijk besliste hij dat het iets was wat hij alleen moest doen.

Hij greep zijn werpspiesen, stak het wonderlijke mes dat Frag hem had geschonken in een plooi van zijn jak en glipte weg nog voor de sterren verbleekten. Feun sliep nog, maar als ze zag dat zijn spiesen er niet waren, zou ze het begrijpen. Dat was het wonderlijke aan Feun, dat ze alles begreep zonder dat er woorden aan te pas kwamen. Alleen die ene keer met Mirre was haar ontgoocheling zo groot geweest dat ze alle rede vergat. Vaak dacht Varn dat ze zich daar nog altijd over schaamde en dat ze net daarom Mirre toegeeflijker behandelde dan deze toekwam.

Hoewel Feun zo gewoon mogelijk met de anderen omging, meden sommigen haar blikken, omdat ze bang waren voor de magische krachten die daar sluimerden. Maar Varn verdronk in diezelfde wondere ogen. Ze bedreven de liefde alsof ze de verloren tijd moesten inhalen en 's nachts lag zijn arm om haar smalle middel. Hij herinnerde zich dan de breuk die tussen hen was geweest, luisterde naar haar ademhaling en genoot van de warmte van haar slanke, stevige lijf.

De smetteloze wereld was wijd en geheimzinnig stil. Het was zo koud dat zijn speeksel bevroor voor het de grond raakte. De wind blies gemeen prikkende ijsnaalden in zijn gezicht. Hij ademde diep en genoot van de bijtende koude.

Hij bond zijn sneeuwschoenen aan en vertrok. Hij had de rivier al een eind achter zich gelaten toen de zon opging. Ze hing als een matgele schijf laag boven de horizon en wierp lange blauwe schaduwen op de steppe, die nog kouder leken dan het ijs en de sneeuw zelf.

Veel van dit land met zijn lage heuvels en bosjes was hem en de andere jagers nog vreemd en nu, ondergesneeuwd en daardoor volkomen van uitzicht veranderd, nog vreemder. Ze zouden het in de volgende jaren beter moeten leren kennen tot elke jager er als het ware een deel van werd, tot het een verlengstuk werd van hun zintuigen en hun speerarmen. Als leider van de stam zou Varn daar een belangrijk aandeel in hebben.

Hij vond sporen, maar ze waren niet vers. Een kleine roedel wolven met jongen, een lynx, een everzwijn dat de sneeuw had omgewoeld. Toen hoorde hij gehinnik, een tinkelend geluid als van brekende ijspegels, zoals die aan de rand van de overhangende rotswand hingen en waar de kinderen van de stam sneeuwballen naar gooiden. Hij sloop gebukt rond een heuvel met een gekartelde kam. Een kleine kudde paarden schraapte de sneeuw weg om bij het mos te komen.

Ondanks alle voorzorgen was hij niet stil genoeg geweest. Waarschijnlijk had de knerpende sneeuw onder zijn voeten hem verraden of had de hengst zijn mensengeur opgevangen. Hij hinnikte, steigerde en de kudde sloeg op de vlucht vooraleer Varn zijn werpspies had kunnen slingeren.

Hij zuchtte ontgoocheld en maakte zich klaar om in een wijde boog terug te keren. En toen, achter een verwilderd bosje van dwergberken en kromgegroeide wilgen, zag hij een licht- bruine merrie met lange donkere manen doodstil in de sneeuw staan. Haar adem vormde witte wolken.

Zijn arm was sneller dan zijn gedachten. Zijn speer ijlde over de glinsterende sneeuw en spetterde vonken in het zonlicht, de merrie maakte een sprongetje en viel stuiptrekkend neer. Varn wierp zijn armen in de lucht en schreeuwde zijn triomf uit. Een perfecte worp, vlak achter het schouderblad, recht in het hart! Hij greep zijn mes en knielde neer. Voor hij het dier vilde, sneed hij het de keel door, zodat het schuimende bloed in de sneeuw gulpte. Hij keek op. Een eindje verderop stond een jong hengstveulen doodstil. Even bleef hij besluiteloos zitten. Zijn prooi was nu al zwaarder dan hij dragen kon en een jager verspilde niet graag buit. Anderzijds zou dit veulen alleen nooit overleven. Als het de kudde niet terugvond, zou het een gemakkelijke prooi zijn voor roofdieren.

Varn had nooit eerder medelijden gehad met een dier. De Aardmoeder had prooidieren geschapen als voedsel voor de mensen en de roofdieren. Zo was haar onverbiddelijke wet. Maar de ogen van dit veulen waren zo groot en donker als kastanjes die glanzend uit hun bolster barsten, en ze waren zo vol absoluut vertrouwen dat hij aarzelde. Hij kwam langzaam overeind.

'Weg', zei hij.

Hij zwaaide met zijn armen. Het veulen sprong achteruit met geheven kop en bleef dan opnieuw staan, trillend op zijn lange poten. Rillingen liepen als golfjes over zijn huid.

Varn bukte zich, sneed met een snelle beweging de buik van de merrie open en haalde de dampende ingewanden eruit.

Het versnijden was een inspannend werk en de zon stond laag toen hij klaar was en de beste stukken gereed lagen om mee te nemen. Toen hij opkeek, was het veulen er nog altijd.

Hij liep er met gestrekte speer naartoe, maar toen dook de jonge hengst plotseling weg en volgde in een wilde galop het spoor van de kudde.

Varn zuchtte. Misschien maakte het jong nog een kans. De Aardmoeder zelf zou daarover beslissen.

Hij pakte de uitgekozen brokken in de vachten die hij had meegebracht, verdeelde de last en begon aan de terugweg.

In de buurt van de grot kwamen jagers hem tegemoet. Ze wilden een deel van zijn buit overnemen, maar hoewel hij doodmoe was, schudde hij het hoofd en toen Feun naar buiten kwam, legde hij de pakken aan haar voeten, net zoals hij dat gedroomd had. De mannen grinnikten, maar Varn zag alleen Feuns blinkende ogen die vol waren van zoete beloften.

'Mijn jager', zei ze trots.

Ze verdeelden het vlees over de verschillende vuurplaatsen, waar het aan spiesen geroosterd werd. De prikkelende geur van het verse paardenvlees vulde de grot.

Terwijl ze aten, vertelde Varn Feun over het veulen.

'Ik had het gewoon kunnen vangen', zei hij, nog altijd verbaasd over de makheid van het jonge dier. 'Als ik een lus bij de hand had gehad...'

De gedachte was zo nieuw en zo vreemd dat hij ze niet eens tot het einde afmaakte.

'Je bent gek', lachte Feun. 'Een veulen levend vangen! Wie heeft dat ooit verzonnen?' Ze greep zijn arm en drukte die tegen zich aan. 'Mijn eigen gekke jager.'

Toen waren Kesse en Ugur er en nog later schoven ze aan bij Mirka om naar een van zijn verhalen te luisteren, en geen van beiden dacht nog aan het veulen met de lange poten en de ogen als kastanjes.

*

In het hoofd van Gorb had zich een gedachte genesteld als een steensplinter die zich vastzet in de huid van de steenklopper. Die gedachte overstroomde zijn lijf, bonsde op het ritme van zijn bloed. Die zei: dat de stam je verstoten heeft, is de schuld van Ugur, Varn en Feun, daar mag je niet aan twijfelen. De drie hebben een verbond gesloten om je te vernietigen en anderen zoals Tjorn en Warre en Raven zijn hen blindelings gevolgd, zoals een kudde haar leider volgt, ook al loopt die recht op de afgrond af. En geen van de andere jagers, ook Bran en Gart niet, heeft zich tegen hun plannen durven verzetten. Hij spon de gedachte verder uit. Dat Ranager dood was, was zijn eigen schuld, ook daar kon geen twijfel over bestaan. Als leider van de rendierstam had hij nooit de voorkeur aan een vreemdeling mogen geven. Even sloot hij zijn ogen om zijn allesverterende woede jegens Ugur te bedwingen. De geesten hadden dat Ranager niet vergeven en hij, Gorb, was alleen maar het werktuig van die geesten geweest. Ranager was dood en niemand had ooit moeten weten dat het Gorbs hand was die de steen had vastgehouden, als bemoeial Feun niet met de geesten had gepraat. Zo sloten zijn gedachten zich als een cirkel en vormden ze in zijn hoofd een eenheid: Ugur, de gehate indringer, Feun die haar macht over de geesten misbruikte, en Varn die de plaats had ingenomen die hém toekwam.

Als hij terug wilde keren naar de stam – en er was niets ter wereld wat hij liever wilde –, moest hij afrekenen met alle drie. Feun zou de gemakkelijkste prooi zijn. Ze bleef vaak in haar eentje een hele nacht alleen in de sjamanengrot. Als hij daar binnendrong, zou ze weinig weerstand kunnen bieden. Zo groot was zijn haat dat hij ervan overtuigd was dat hij de magie van de heilige grot kon afwenden door er met gestrekte wijs- en middelvingers binnen te stappen. Stonden de geesten niet aan de kant van wie onrecht moest ondergaan? Aan zijn kant?

Hij opende en sloot zijn reusachtige handen, kneep ze tot zijn behaarde vingers kraakten. Hij zou haar nek breken, haar fijne, trotse, uitdagende nek, haar rechte rug waarop haar vlecht danste zou hij kraken, en haar daarna neerleggen aan de voet van de kliffen. Daar vonden ze haar dan zoals ze eerder Mung hadden gevonden. Twee sjamanen, allebei op dezelfde mysterieuze manier om het leven gekomen. Haar dood zou even raadselachtig zijn als die van haar voorganger en zou de stamleden opnieuw voor een onoplosbaar raadsel plaatsen. In de verwarring die volgde zou hij een middel vinden om af te rekenen met Ugur en Varn. Daarna keerde hij terug om samen met Bran en Gart de leiding van de rendierstam op te eisen. Niemand die hem dan nog zou durven trotseren.

Hij ademde diep. De radeloosheid die zijn hoofd had gevuld na de verstoting uit de stam en die hem ziek van angst had gemaakt, was verdwenen en een gevoel van diepe triomf overviel hem.

Hij volgde de loop van de rivier tot het wachtvuur nog slechts een dof rood oog in de nacht was en stak toen het dicht-gevroren water over. Het ijs was nog zwak, het scheurde en kraakte vervaarlijk, maar hij rende eroverheen en bereikte de overkant voor het achter hem barstte en het wak zich vulde met water.

Hij bleef een tijdlang hijgend in de sneeuw liggen en keerde dan in een wijde boog terug. Hij wist een kleine schuilplaats, een eind voorbij de waterval. Daar kwam in de winter niemand en er was voldoende klein wild om een tijdje in leven te blijven. Hij zou er zelfs vuur kunnen maken zonder dat de rook hem verried. Hij zou overdag slapen en 's nachts het plateau in het oog houden en bij de eerste gelegenheid de sjamanengrot binnendringen.

Vele generaties na hem zou bij de wintervuren nog verteld worden over Gorb, de jager die met hulp van de geesten het recht in eigen handen had genomen.

*

Feun zat bij de ingang van de sjamanengrot. De sterren flikkerden ondraaglijk fel op de sneeuw. Hun licht drong door tot diep in haar hoofd. Maar plotseling dook daar ook een schaduw op die het licht afschermde, zoals nevel een deel van een vallei onzichtbaar kon maken. Ze zat roerloos, geduldig wachtend tot de schaduw een vorm zou aannemen. Ze had voldoende ervaring met de geestenwereld om dat geduld op te brengen.

De maan steeg langzaam boven de heuvel uit en balanceerde daar even. De lichtgrijze vlekken van het geestenkamp leken te verschuiven. Ze sperde haar ogen wijd open en probeerde de schimmen te onderscheiden, maar even later waren ze verdwenen.

Ze maakte haar hoofd leeg van alle vreemde beelden en sprong op. Ze had Varn beloofd er te zijn vooraleer de vuren gedoofd werden, en er was niets wat ze liever wilde dan nog even zwijgend dicht tegen hem aan te zitten. Hij zat nog bij Kesse en Ugur, maar toen hij haar zag, lichtte zijn gezicht op en liep hij op haar toe.

'Ik heb op je gewacht.'

Het waren eenvoudige woorden, maar ze maakten haar blij en gaven haar een warm gevoel diep in haar borst.

Na een tijdje dekten ze hun vuur af en kropen onder de slaapvachten dicht bij elkaar.

Midden in de nacht werd Feun plotseling wakker.

Een stem fluisterde, zacht en melodieus als het zingen van de sterren, maar wel indringend, onweerstaanbaar.

'Feun...'

Het zou het ruisen van de wind kunnen zijn langs de uitstekende rotswand, maar buiten dwarrelden de sneeuw-vlokken langzaam dansend recht omlaag. Er was die nacht geen wind.

'Feun...'

Het zou het suizen van het vuur kunnen zijn, van vlammen dansend over houtblokken, maar alle vuurplaatsen waren afgedekt voor de nacht.

'Feun...'

Het zou zelfs het kloppen van het bloed in haar oren kunnen zijn, maar daarvoor was het te langgerekt, een aanhoudende klank die nooit leek te eindigen.

'Feueueun...'

Ze wist met zekerheid dat iemand haar riep en dat was niet Ranager of Mung die ze zo kort geleden vergezeld had op hun laatste tocht. Het was ook niet Merrit, wier woorden ze soms zo duidelijk hoorde dat het was alsof de medicijnvrouw vlak naast haar stond.

Was het de echo van haar gedachten, diep in haar hoofd? Nee, de klanken kwamen van ver, glijdend over de sneeuwrichels van de steppe, ijlend onder de grijze hemel. Ze kon de weg ervan met gesloten ogen volgen, slingerend tussen de heuvels, over rivieren en door nauwe ravijnen, ver weg tot in het ondergesneeuwde oeroskamp.

Toen herkende ze het unieke timbre van de stem.

Durandee!

Ze wist niet waarom de magiër haar riep, maar wel dat ze moest gehoorzamen. Misschien verkeerde Durandee in gevaar en dat was een ondraaglijke gedachte. Was er iets wat Feun moest doen?

'De wolf, Feun... de wolf... het spoor!'

Ze begreep de boodschap niet en wilde Varn wekken, maar de stem was er opnieuw.

'Alleen, Feun... helemaal alleen... de wolf...'

Telkens opnieuw: '...de wolf, Feun...'

Moest ze een wolf zoeken? Dan kon het alleen om de wolf van Mirre gaan. Maar Mirre sliep diep weggekropen onder de slaapvachten van Pante. Ze kroop voorzichtig van Varn weg, trok haar warmste jak van mammoethuid aan, greep haar speer en sloop de grot uit. De wachter bij het vuur aan de ingang keek nauwelijks op. Ze waren het allemaal gewend dat Feun ook 's nachts de eenzaamheid van de sjamanengrot opzocht en ze wilden daar eigenlijk zo weinig mogelijk mee te maken hebben. Onder zijn jak maakte hij het teken om geesten af te weren en keek ondertussen de andere kant op. De kou beet in haar gezicht met de scherpe klauwen van een roofdier. Ze liep recht naar de sjamanengrot toe, die er koud en donker bij lag, nam vuurstenen en tondel, een kruiden-zakje en enkele repen vlees en liep de nacht in.

De weg naar de rivier was gevaarlijk glad, want onder de verse sneeuw lag een platgetrapte, verijzelde laag. Ze begreep dat ze sneeuwschoenen had moeten aantrekken, maar nu was het daarvoor te laat, want de lokkende stem was er opnieuw.

'Feueueun!'

Ze hoorde het hoge, ijle geluid en spande zich in om meer op te vangen en het beter te begrijpen, maar de sneeuw knerpte en het bloed klopte in haar oren en dat overstemde het fluisteren.

Toen ze bij de rivier kwam, stak ze die aarzelend over. Het ijs golfde onder haar voeten, het kraakte onheilspellend en er kwamen witte stervormige barsten in.

Aan de overkant gebruikte ze haar speer om de diepte van de sneeuw te peilen. Aan de horizon verscheen een bleke klaarte en nog veel later begreep ze dat het middag was. De honger knaagde in haar maag. Ze nam een reep gedroogd vlees en kauwde erop zonder halt te houden.

Het sneeuwen hield op en op datzelfde ogenblik was het alsof in haar hoofd plotseling een gordijn werd weggeschoven. De fluisterstem was verdwenen en tegelijkertijd de roes die in haar hoofd had gehangen. Voor het eerst zagen haar ogen bewust de witte oneindigheid.

'Je bent gek, Feun', kreunde ze hardop. 'Knetter-, stapel-, knotsgek ben je!'

Ze veegde de sneeuw uit haar wenkbrauwen en schudde hem van haar kap. De witte schittering verblindde haar, zodat ze haar ogen tot dunne spleetjes moest knijpen.

'Wie haalt het in zijn hoofd in een sneeuwnacht alleen de steppe op te gaan?' foeterde ze. 'Als Durandee je geroepen heeft, als ze je echt nodig heeft zoals jij denkt, dan moet je met een groep jagers en goed uitgerust naar haar toe. Met Ugur en

Raven en Varn, met huiden en palen om tenten op te zetten en met voldoende voorraad voedsel.'

Meteen daarop wist ze dat Varn in paniek zou zijn als hij haar bij het wakker worden niet vond. Ze haalde diep adem en keerde op haar stappen terug. Ze liep nu tegen de wind in en de kou sneed als messen in haar gezicht. Toen zag ze in de verte, ver voor haar uit, een donkere gestalte en de opluchting sloeg als een vlam door haar lijf. Varn kwam haar halen! Haar jager was haar achterna gekomen.

*

Varn tastte onder de slaapvacht naar Feun, maar zijn hand vond alleen dode bladeren. Met een ruk ging hij rechtop zitten. Om hem heen sliep nog iedereen, geen van de vuren was opgerakeld. Wat bezielde Feun om in een nacht vol sneeuw zo vroeg naar de sjamanengrot te gaan? Maar dan bedacht hij dat er tussen haar en de geesten wel meer mysteries leefden waar hij met zijn jagersverstand geen benul van had. Hij draaide zich om, vastbesloten verder te slapen, toen zijn oog op de bundel speren viel die rechtop tegen de wand van hun onderkomen stonden. Hij gleed onder de vachten uit. Feuns lievelingsspeer met de donkere gevlamde schacht ontbrak. Hij bleef een ogenblik nadenkend staan – misschien had ze die meegenomen omdat de wolf van Mirre altijd in de buurt kon rondsluipen – en greep zijn jak. Toen verstijfde hij. Van de ordelijke hoop kleren ontbrak ook Feuns jak van mammoethuid. Die droeg ze nooit om alleen maar naar de sjamanengrot te gaan. Hij kleedde zich aan, greep de speer met de punt van kwartsiet en liep de grot uit. Oss doezelde bij het ingestorte vuur.

'Heb je Feun gezien?' vroeg Varn ongerust.

Oss schrok op. Werktuigelijk gooide hij een paar takken op de smeulende sintels.

'Feun? Ze is naar de sjamanengrot gegaan. Ze heeft niets gezegd, maar...'

'Weet je dat zeker?' onderbrak Varn hem.

'Zeker? Ik heb haar toch gezien.'

'Zeker dat ze naar de sjamanengrot ging?'

'Waar zou je willen dat ze anders heen ging in een nacht als deze?'

'Ja ja, maar heb je het ook gezien?'

'Gezien? Nee. Je ziet amper twee speren ver. Ik...'

Oss' stem klonk verontwaardigd. Dacht de leider misschien dat hij geslapen had?

Varn liep met grote passen over het plateau. Er lag een laag nieuwe sneeuw, die zouden ze moeten wegscheppen. Sporen zag hij niet. Dat betekende dat Feun al een hele tijd hierlangs was gekomen.

De grot was ijzig koud, donker en angstaanjagend leeg. Hij overwon zijn tegenzin en liep voor alle zekerheid naar binnen en riep haar naam.

'Feun!'

De klanken weergalmden hol.

Hij rende terug voorbij de verbouwereerde Oss en wekte Kesse en Ugur, want hij wist dat er iets grondig mis was.

'Weten jullie waar Feun naartoe kan zijn?'

'Feun? Is ze weg?'

Ze wreven de slaap uit hun ogen. Om hen heen kropen andere gestalten overeind, vuren vlamden op en vrij vlug drumden alle jagers om hen heen. Het duurde even vooraleer Varn het had uitgelegd.

Toen drong Mirre tussen de jagers naar voren, wat haar boosaardig gegrom opleverde.

'In een nacht als deze vind je haar nooit', zei ze, Varn en de andere jagers uitdagend aankijkend.

'Dit is geen vrouwenzaak', snauwde Varn. 'De jagers zullen in alle richtingen zoeken en...'

'Wolf', zei Mirre. 'Als je wilt, zal ik haar zoeken, samen met Wolf. We zullen haar vinden.'

De gedachte was zo verbijsterend dat Varn haar even sprakeloos aanstaarde en daar maakte Mirre gebruik van.

'Toen ik met Wolf samenleefde, voor jullie me vonden, heb ik hem spelletjes geleerd.'

De stamleden schoven voorzichtig van haar weg. Wat was dit voor een meisje dat spelletjes speelde met een wolf? Ze was nog gekker dan ze altijd al gedacht hadden.

'Dit is geen tijd voor spelletjes', snauwde Kesse haar toe.

'Besef je wel dat Feun daarbuiten is? Alleen in de sneeuwstorm?'

'Ik heb hem geleerd om dingen terug te vinden. Hij vond dat geweldig', ging Mirre hardnekkig verder.

Ze wrong haar handen in wanhoop.

'Ik weet dat jullie me alleen maar dulden omdat jullie me niet kunnen wegsturen. Ik kan immers nergens heen. Maar nu kan ik iets terugdoen voor de stam. Samen met Wolf kan ik de sjamaan terugvinden. Dat weet ik zeker. Alsjeblieft.'

Ze sprak zo overtuigend dat Varn tegen zijn zin bleef luisteren.

Ze keek om zich heen naar de gesloten gezichten van de jagers.

'Ik zal Wolf roepen en...'

Er weerklonken vijandige uitroepen.

Wede, de jager van Brante, stapte vooruit.

'Roep hem', zei hij wraakzuchtig. 'Als je dat tenminste kunt.'

Zijn ogen flikkerden boosaardig en zijn tanden blikkerden in zijn warrige baard.

'Dan maken we hem af vooraleer hij Feun of iemand anders kan aanvallen.'

De jagers om hem heen bromden instemmend.

'Jullie blijven van hem af', grauwde Mirre met ontblote tanden en wijd gespreide, gekromde vingers als klauwen. 'Geloof me toch. Wolf kan haar vinden.'

Varn keek naar de ingang van de grot waar de sneeuw nog altijd overvloedig neerviel en de nieuwe dag nog draalde. Als Feun daarin verdwaalde...

Hij gaf de jagers opdrachten over de richting waarin ze moesten zoeken. Op de nu levensgevaarlijke kliffen, bij de waterval, de hazelaarsbosjes, de dichtgevroren rietkragen...

'Denk eraan, alle sporen zijn dichtgesneeuwd', zei hij.

Ze aten en wachtten tot de eerste klaarte van de dag eindelijk in de lucht zat.

Toen trokken ze hun warmste mantels aan, bonden hun sneeuwschoenen onder, grepen hun spiesen en vertrokken twee aan twee.

Varn nam Mirre mee naar buiten.

'Ik geef je één kans. Als je streken uithaalt, dan dood ik Wolf, dat zweer ik je.'

'Ik moet iets van Feun hebben', zei Mirre, zonder acht te slaan op zijn dreigement. 'Iets waaraan haar geur hangt. Zo speelde ik het spelletje met Wolf. Hij is er echt goed in.'

Ze was druk in de weer met haar handen om het allemaal uit te leggen.

'Haar jak?' vroeg Varn.

'Ja, heel goed.'

Varn haalde het en ze liep ermee recht naar de kliffen alsof ze wist waar ze Wolf kon vinden. Varn volgde haar op de hielen, zijn ogen onafgebroken op haar smalle rug gericht.

'Wolf!'

Haar stem klonk hoog en schril, maar werd gedempt door de dicht neervallende sneeuw. Varn dacht dat ze nooit ver genoeg zou reiken.

'Wolf!'

Ze floot op haar vingers, een scherp, kort signaal, telkens herhaald.

Vanuit de sneeuwjacht klonk gehuil. Varn kon onmogelijk uitmaken uit welke richting het kwam of hoe veraf het klonk, maar het was onmiskenbaar wolvengehuil.

'Kom, Wolf, kom!'

De stem werd nu vleiend, lokkend.

Plotseling dook een witbestoven figuur op. Wolf sprong tegen Mirre op, haar gezicht likkend met zijn lange tong. Hij schudde de sneeuw uit zijn grijze vacht.

Varn deinsde achteruit, zijn speer stekensklaar. Zijn nekhaartjes stonden overeind nu hij het roofdier zo dichtbij wist dat hij de scherpe wolvengeur kon ruiken. Toch besefte hij dat Mirre wist wat ze deed.

'Zoek, Wolf, zoek', zei het meisje, Feuns jak tegen zijn snuit duwend. 'Zoek!'

Wolf sprong heen en weer, met geheven snuit de lucht opsnuivend. Snuffelend liep hij het pad af dat leidde van het plateau naar de rivier.

Vanuit de grot klonken angstige kreten van vrouwen en kinderen gilden, maar Varn sloeg er geen acht op. Hij liep vlak achter Mirre die Wolf volgde en hem voortdurend aanmoedigde. Als het dier aarzelend in een rondje bleef draaien, liet ze hem opnieuw ruiken. Hij daalde het pad af, zijn buik slepend over de sneeuw en stak de rivier over. Een tijdje volgde hij de oever stroomafwaarts, dan liep hij recht de steppe op, worstelend door de dikke sneeuwlaag waarin hij regelmatig wegzakte.

Af en toe meende Varn de resten van een voetafdruk te bespeuren en dan wipte zijn hart met een sprongetje omhoog, maar dadelijk erna bleek alles weer uitgewist. Tegen beter weten in hoopte hij dat Wolf het juiste spoor volgde.

De sneeuwjacht werd dunner en even later hield het sneeuwen helemaal op. De zon brak door de wolken en glinsterde hel op de witte woestenij. Ze hielden hun handen beschermend boven hun ogen en speurden de steppe af, maar nergens bewoog iets.

'Je hebt je best gedaan', zei Varn toegeeflijk. 'We keren terug. Misschien hadden de andere jagers meer succes of is Feun uit zichzelf teruggekeerd.'

Ze stonden op een heuveltje waar de wind de meeste sneeuw had weggeblazen.

'Ik neem jou niets kwalijk, maar je wolf zal vanaf nu in de grot op nog minder sympathie kunnen rekenen, dat begrijp je zelf wel. '

Jankend schoot Wolf weg, langgerekt, kop vooruit en met gestrekte staart, snel als een weggeslingerde speer.

Toen zag Varn in de verte, donker afstekend tegen de sneeuw, twee figuren die naar elkaar toe liepen.

Hij kneep zijn ogen tot spleetjes en een overweldigende opluchting overspoelde hem.

'Het is Feun! Ik herken haar parka van mammoethuid. Een van de jagers heeft haar gevonden.'

Nog terwijl hij sprak, stortte de waarheid op hem neer als een rotsblok dat van de klif dondert. De jagers werkten twee aan twee en zouden elkaar onder geen voorwaarde verlaten. Als een van de figuren in de verte Feun was, wie was dan de tweede? Hij kreeg een vreselijk vermoeden. Misschien zwierf Gorb nog in de omtrek rond... Gorb die één brok ziedende haat zou zijn. Haat tegen hem, Varn, maar ook tegen Feun die hem als sjamaan had ontmaskerd.

Hij sprong met grote passen vooruit en struikelde waar de sneeuwlaag weer dieper was. Zijn longen pompten, zijn hart hamerde wild. Feun! Feun en Gorb!

*

Toen Gorb Feun de stamgrot zag verlaten en daarna de sjamanengrot, om in de richting van de rivier te lopen, besefte hij meteen dat de geesten hem die nacht goedgezind waren. Omdat hij moest zorgen dat niemand hem in de buurt zag, kwam hij trager vooruit dan de jonge vrouw, maar daar maakte hij zich geen zorgen over. Ook niet over het feit dat hij een nieuw plan zou moeten verzinnen. De kliffen lagen nu te ver af. Bij de rivier pikte hij haar spoor op, maar hij durfde op die plaats niet over te steken, want in een groot wak borrelde water en er liepen overal gekartelde wit glinsterende barsten door het ijs.

Hij ging stroomopwaarts en stak pas over toen hij het ijs sterk genoeg vond.

Rustig, hield hij zichzelf voor. Rustig. Ik weet niet wat haar bezielt, maar je haalt haar wel in en dan kraak je die trotse nek van haar. Hij kneep zijn handen om de schacht van zijn speer. Rustig, Gorb, ze kan je niet meer ontsnappen.

Het duurde een hele tijd voor hij Feuns spoor weer had opgepikt en toen viel de sneeuw zo dicht dat op sommige plaatsen de lichte afdrukken meteen weer werden uitgewist. Hij trachtte zich te oriënteren, maar verdwaalde hopeloos. Net toen hij ontgoocheld wilde terugkeren naar zijn schuilplaats, hield het sneeuwen eindelijk op. De zon brak door in een explosie van witte en gele bundels verblindend licht, de steppe schitterde. Een kleine, donkere gestalte brak de witte eentonigheid. Feun! Nu kon ze hem onmogelijk nog ontsnappen.

Hij kneep zijn ogen tot spleetjes. Zij kwam zijn richting uit! Hij lachte schaterend: zijn prooi kwam uit zichzelf naar hem toe! Dat was het ultieme bewijs dat de geesten aan zijn kant stonden.

*

Feun liep langzamer. Haar kuiten en dijen protesteerden tegen de lange mars door de in richels opgewaaide sneeuw. 'Je vond het niet eens nodig sneeuwschoenen aan te binden', grommelde ze, boos op zichzelf. 'En zo wilde je naar Durandee, die oneindig lange weg naar de oerosstam.'

Ze schudde het hoofd vol onbegrip over haar eigen stommiteit. Varn zou haar duchtig op haar kop geven en de anderen...

Toen verstrakte ze: de jager die vlug naderbij kwam, was niet Varn. Hij was groter en breder, Ugur of Tjorn of...

Het bloed trok weg uit haar gezicht. Die gestalte, die lompe manier van bewegen! Er was geen twijfel mogelijk: het was Gorb die naar haar toekwam. Ze herinnerde zich haar eigen woorden: *De stam stoot jou uit, Gorb, zoon van Barge en Tense.*

Vanaf nu ben je geen jager meer van de rendierstam. Ze herinnerde zich de beschuldigende vingers van de jagers als een kring van speren en zijn van haat vertrokken gezicht.

Hij kwam snel naderbij en het was duidelijk dat hij alleen maar uit was op wraak.

In een reflex wilde ze omkeren en vluchten, maar ze begreep dat ze hem niet kon ontkomen. Ze gooide haar voorraadzak in de sneeuw en greep haar speer steviger vast. Ze wist dat ze maar één kans zou krijgen. Eén worp. Ze zou hem dicht genoeg moeten laten naderen, want als ze miste... Tegelijk besefte ze dat een jager gemakkelijk een speer kon ontwijken. Zomerjongens speelden dat spelletje vaak en waren daar erg behendig in. Ze kon nu duidelijk zijn gezicht onderscheiden. In zijn brede grijns lag zowel haat als triomf.

Toen zag Feun vanuit haar ooghoeken een schaduw die op haar toeschoot. Een wolf! Even wist ze niet welke dreiging de ergste was.

Vanuit dezelfde richting naderden twee figuren. Varn! Dit keer vergiste ze zich niet. En bij hem een kleinere figuur. Was dat Kesse? Of Mirre? In een flits begreep ze het: Mirre en Varn hadden haar met Wolf opgespoord. Het klonk ongelooflijk en onbegrijpelijk, maar het moest wel waar zijn.

Ook Gorb bleef staan. Een wolf was tot bij Feun gelopen en stond daar nu met geheven snuit. Zijn witte keelharen glansden. De situatie was nieuw en zijn trage geest die alleen maar aan wraak dacht, had er niet meteen een antwoord op. Vanuit de verte naderden snel twee jagers. Dat was een overmacht waar hij niet tegenop kon. Op zijn gezicht verdween de trek van triomf om plaats te maken voor frustratie en woede. Hij moest zijn wraak uitstellen. Hij keerde om en vluchtte. Als de jagers eerst tot bij Feun gingen, zouden ze hem niet meer inhalen.

Varn hijgde. Hij was Mirre een eind voor, maar nog altijd te ver weg om tijdig bij Feun te zijn. Tijdig, vóór Gorb haar bereikte. Zijn longen schroeiden, zijn adem raspte door zijn droge keel, zijn spieren brandden, maar hij sloeg er geen acht op. Feun!

Hij zag hoe Wolf op haar toesprong. Vlak voor haar bleef het roofdier staan, hief zijn snuit en huilde triomfantelijk.

Feun hield haar speer stekensklaar, maar Wolf bewoog niet meer, hij keerde zijn kop naar Gorb en huilde opnieuw.

Gorb vluchtte, besefte Feun. Ze beefde nog altijd, maar de opluchting was als een hete vlam. Ze wachtte roerloos tot Varn en daarna ook Mirre bij haar waren. Varn sloeg zijn arm om haar schouder.

Wolf jankte en kwispelde en Mirre knielde bij hem neer en legde haar armen liefkozend om zijn nek.

'Brave Wolf.'

'Je hebt me de stuipen op het lijf gejaagd', zei Varn. 'Wat bezielde je om in dit weer...'

Feun stond roerloos. Hoe kon ze het hem uitleggen?

'De geesten', zei ze. 'Ze riepen me. En Durandee. Ik denk dat ze in gevaar verkeert.'

Ze keek naar Mirre en Wolf.

'Ze had het telkens over een wolf.'

'Je bedoelt dat je om een of andere reden van magie...?'

Zoals altijd maakte het woord alleen al hem stil.

'Was dat Gorb?' vroeg hij.

'Ja. Hij had me bijna gedood. Als jullie niet op tijd waren gekomen...'

'Wolf', zei Varn. 'Hij heeft jouw spoor gevonden. Ik weet dat het dwaas klinkt en onmogelijk, maar hij en Mirre deden het, dwars door de sneeuwjacht heen.'

*

Toen ze allemaal waren teruggekeerd en alle jagers en
vrouwen opgelucht weer naar binnen waren gegaan, stonden
Varn, Feun en Mirre nog alleen op het plateau.

Mirre voelde zich ongemakkelijk want Varns blik schuurde als
zand over haar huid. Haar hand lag op Wolfs geheven kop.

'Ik zal hem weer wegsturen', zei ze. 'Hij heeft een hol
gevonden onder een omgewaaide boom. Hij kan daar...'

Er stonden tranen in haar ogen.

Varn en Feun wisselden een blik.

'We zijn je dankbaar', zei Varn.

'Maar er is meer', zei Feun. 'We begrijpen nu dat jouw wolf de
mensen als zijn familie beschouwt, omdat hij nooit in een
wolvenroedel heeft gewoond. Jij bent zijn roedel.'

'We begrijpen ook dat hij nooit iemand van de stam zal
aanvallen', zei Varn.

Mirres mond viel open van verbazing.

'Bedoelen jullie dat hij af en toe hier mag komen en dat ik dan
met hem...?'

Ze hakkelde van verbazing. De opwinding golfde door haar
lijf.

'Hij kan blijven', zei Varn.

Mirre sloeg haar armen om Wolfs nek.

'Hoor je dat, Wolf? Je kunt blijven. Varn zelf heeft het gezegd
en hij is de leider van de stam.'

Wolf jankte zachtjes.

'Denk je dat ik hem mag aanraken?' vroeg Feun. 'Ik bedoel...'

'Hier', wees Mirre. 'De zachte donshaartjes van zijn keel. Hij
houdt ervan als je hem daar krauwt.'

Feun overwon haar afkeer en angst en strekte haar hand uit.

De wolvenvacht voelde zacht aan en ergens vlak onder haar vinger klopte een ader.

Wolf kwispelde met zijn staart zodat de sneeuw hoog opvloog. Vlug trok Feun haar hand terug.

'Er zijn een paar kleine grotten die niet in gebruik zijn', zei Varn. 'Je kunt er een uitkiezen en daar met Wolf intrekken. Houd hem voorlopig van de kinderen weg tot de stam aan hem gewend is.'

Mirre schuifelde onrustig met haar voeten.

'Ik weet niet hoe ik jullie moet...'

'Nee', zei Feun. 'Je moet helemaal niets. Wij moeten jou bedanken. Zonder jou...'

Ze huiverde en sloot haar ogen om de verschrikkelijke beelden daar te verdrijven. Varn sloeg zijn arm om haar schouders.

*

De volgende dag vonden de jagers Gorbs schuilplaats een eind voorbij de waterval. Er lagen resten van een maaltijd en er had vuur gebrand, maar de as was zwart en koud. Blijkbaar had hij begrepen dat ze hem zouden zoeken, was hij er zo vlug mogelijk vandoor gegaan en had hij geen tijd genomen om zijn sporen uit te wissen.

'We zullen nog een tijd op onze hoede moeten zijn', zei Varn. 'De vrouwen blijven in de grot en de jagers trekken er met enkelen samen op uit. Als hij in de buurt blijft, jagen we hem op.'

Zijn stem klonk afgebeten kort en meedogenloos.

Die avond zaten hij en Feun samen bij het wachtvuur, dicht tegen elkaar aan, de paarlemoeren glans van de sneeuw en de rosse gloed van de vlammen op hun gezichten. Ze hadden Bran naar zijn vuurplaats gestuurd en gezegd dat hij later terug kon komen.

Ze keken uit over de dichtgevroren, wit glanzende rivier en de adembenemend mooie steppe, die het licht van de ontelbare sterren weerkaatste. Ze zwegen lange tijd, zich hevig bewust van elkaars aanwezigheid en van de vredige wereld.

Toen zei Feun: 'Ik heb hier veel over nagedacht, Varn. Ik denk dat ik eindelijk begrijp wat de geesten wilden. Ze hebben me niet zomaar de nacht in gestuurd in een onderneming die te dwaas was om ooit te slagen. Ze gebruikten de stem van Durandee om mij te overtuigen. *...de wolf, Feun, de wolf...* Ze wisten het allemaal vooraf, ze wilden dat Wolf mijn spoor vond.'

'Hij rook het', zei Varn nog altijd vol ongeloof. 'Ik zweer het je, Feun. Al die tijd liet Mirre hem aan jouw jak ruiken en ondanks de sneeuw pikte hij jouw spoor er feilloos uit.'

'Misschien wilden de geesten meer, Varn. Dat jij Mirre en Wolf een plaats gaf in het kamp. Dat de stam zou wennen aan Wolf.'

Ze lachte.

'Vandaag is Brante bij me geweest. Ze is gelukkig: haar baby trappelt de hele dag. Ze is zo trots dat ze iedereen het getrommel op haar buik laat voelen. Ze heeft zelfs Wede, haar jager, overtuigd Mirre met rust te laten.'

Weer zweeg ze lange tijd om de volgende gedachte langs alle kanten te betasten en ze dan heel precies te verwoorden.

'Misschien willen de geesten nog meer, Varn. Jij en je vrienden zijn goede jagers. Goede spoorzoekers ook. Maar geen van hen slaagde erin mij te vinden. Misschien willen ze dat we andere wolfsjongen uit hun nest roven en groot-

brengen zoals Mirre dat heeft gedaan. Misschien...'
Opnieuw lachte ze.

'Ik weet het, dit hangt met misschiens aan elkaar, maar
misschien willen de geesten dat mensen en wolven samen
gaan leven en samen gaan jagen.'

Het idee was zo nieuw en zo vreemd en tegelijk zo glanzend
als een ijspegel in sterrenlicht, dat er een lange stilte volgde.

'Misschien...' zei Varn. Ook hij lachte. 'Er kan nog wel één
misschien bij.'

Hij greep haar hand.

'Misschien is dit een nieuw begin. Zou dat niet mooi zijn,
Feun? Jij die de sjamaan bent van de stam zoals ik de leider
ben. Een nieuwe tijd die opengaat net op deze plaats in de
vallei van de overvloed.'

Toen herinnerde Feun zich Varns woorden over het veulen
met de ogen als glanzende kastanjes: *Ik had het gewoon
kunnen vangen. Als ik een lus bij de hand had gehad...*

Ze had hem toen een gekke jager genoemd, maar was dat wel
zo? Als Mirre een wolvenjong kon temmen, waarom zouden
ze dan niet een jong veulen...?

Ze duwde de gedachte weg. Dit was een wondere avond
waarop onzinnige dromen plotseling mogelijk leken, maar ze
moest haar voeten op de grond houden. Ook een sjamaan
moest dat en daar kon geen magie iets aan veranderen.

Maar ze kon niet verhinderen dat ze het goedkeurend
gefluister van de sterren hoorde.

Ze keerden zich om en liepen gearmd naar binnen. Ze zagen
net niet meer de vallende ster die als een felle flits langs de
hemel schoot.

Eerder verschenen in deze reeks:

Feun en de vloek van de sjamaan
€ 12,95
ISBN 978 90 223 1948 2

Feun en de geest van de rode dood
€ 13,95
ISBN 978 90 223 2006 8